10│18

12, avenue d'Italie — Paris XIIIe

LA MÉNAGERIE
DE VERRE

suivi de

LE PARADIS
SUR TERRE

(Théâtre 5)

PAR

TENNESSEE WILLIAMS

Textes adaptés
par Marcel DUHAMEL
et Matthieu GALEY

10|18

« *Domaine étranger* »
dirigé par Jean-Claude Zylberstein

Sur l'auteur

Thomas Lanier, dit Tennessee Williams, est né en 1911 dans le Mississippi. Le théâtre de son enfance a pour cadre la ville de Saint Louis et un univers familial déchiré et violent, que Tennessee Williams s'appliquera à mettre en scène à travers son œuvre théâtrale et romanesque. Il s'impose en 1945 avec *La Ménagerie de verre*, et triomphe deux ans plus tard avec *Un tramway nommé Désir*. Puis les très nombreuses adaptations cinématographiques de ses œuvres ont contribué à faire de lui une star, tant grâce à l'excellence des réalisateurs (Richard Brooks, Joseph Mankiewicz, John Huston ou Joseph Losey) qu'à de prestigieux interprètes (Marlon Brando, Vivien Leigh, Elizabeth Taylor, Paul Newman ou Ava Gardner). Également poète et romancier (avec notamment *Le Printemps romain de Mrs Stone*), Tennessee Williams est mort à New York en 1983.

Titre originaux :

Glass Menagerie
Kingdom of Earth

La Ménagerie de verre
© Tennessee Williams
© Laffont 1958 pour la traduction française
Le Paradis sur terre
© Tennessee Williams 1954
© Laffont 1972 pour la traduction française
ISBN 2-264-02183-7

LA MÉNAGERIE DE VERRE

(*GLASS MENAGERIE*)

Adaptation de Marcel Duhamel

ACTE PREMIER

SCÈNE I

L'appartement des Gordon est situé à l'arrière d'un immeuble représentant le type de ces immenses ruches qui poussent comme des verrues dans les centres surpeuplés où vivent pêle-mêle ouvriers et petits-bourgeois. Ils répondent aux aspirations de cette partie considérable de la population américaine réduite à l'état d'esclavage et qui, loin de chercher l'espace et l'isolement, se complaît dans l'automatisme d'une existence grégaire.

L'appartement donne sur une impasse ; on y accède par l'escalier d'incendie. Ce détail ne manque pas d'une certaine pertinence car ces immeubles géants ne cessent de flamber du sombre et implacable feu du désespoir humain. L'escalier fait partie du décor ; on doit voir le palier et les marches qui en descendent.

L'action n'est qu'un souvenir et n'a par conséquent rien de réel. La mémoire se permet beaucoup de licences ; elle omet certains détails et en exagère d'autres suivant le caractère plus ou moins sentimental des souvenirs, ce qui est naturel puisqu'elle a son siège dans notre cœur. L'intérieur de l'appartement est donc sombre et poétique.

Au lever du rideau, le public a devant lui le vilain mur gris qui forme le fond du logement des Gordon. Ce mur est parallèle à la rampe : il est flanqué d'un côté par un étroit et sombre couloir qui mène à des impasses encombrées de cordes à linge, de poubelles et du lacis des échelles à claire-voie que sont les escaliers de secours. Au cours

9

de la pièce, toutes les entrées et les sorties s'effectuent par ces couloirs. A la fin du premier monologue de Tom, le mur du premier plan devient graduellement transparent, révélant l'intérieur de l'appartement.

Au premier plan, un salon qui sert aussi de chambre à coucher pour Laura lorsqu'on déplie le sofa. Au fond et au centre, la salle à manger, séparée du salon par une large baie cintrée ornée de portières transparentes — et fanées — ou par un second rideau de scène. Dans le salon, un vieux meuble à rayons ou étagères, contenant une centaine d'animaux en verre transparent. Sur la cloison qui sépare la salle à manger du salon, face au public et à gauche de la baie, un agrandissement de la photographie du père de Laura : il est jeune, beau garçon, et porte le calot des soldats de l'avant-dernière ; il sourit fièrement, immuablement, comme pour dire :

« Je sourirai toujours, quoi qu'il arrive. »

Le public voit et entend la première scène à travers le mur du premier plan et à travers les portières de tulle qui décorent la baie de la salle à manger. C'est seulement un moment après le début de cette scène que le mur du premier plan remonte lentement dans les cintres pour ne reparaître que tout à fait à la fin de la pièce, pendant la dernière tirade de Tom.

Le récitant est un élément purement conventionnel du spectacle : il prend toutes les libertés qu'il juge nécessaires à la compréhension de son rôle.

Tom, vêtu en matelot de la marine marchande, entre par le couloir de gauche et se dirige lentement, en traversant le plateau, vers l'escalier de secours. Arrivé là, il s'arrête, allume une cigarette et s'adresse au public :

TOM

Oui, j'ai des tours dans mon sac, j'ai des tours dans ma manche ; cependant je suis le contraire d'un prestidigitateur de salon, car lui vous présente une illusion qui a l'apparence de la vérité ; moi, je vous offre la vérité affublée du masque plaisant de l'illusion. Pour commencer, je renverse le cours du temps. Je ramène l'aiguille à cette période attendrissante de l'entre-deux-guerres, où la classe moyenne américaine se rôtissait les plumes à un système économique en fusion, et où toute une jeunesse désemparée, désabusée, cherchait à tâtons on ne sait qu'elle illusoire espérance.

Voilà pour l'époque et pour l'ambiance...

On peut estimer que comme précision, c'est évidemment vague, mais si nous vivons perpétuellement entre deux der de der dans une paix où les accords idylliques de la harpe ont des résonances de grosse caisse, moi je n'y peux rien, je ne suis que le récitant de la pièce.

Musique, je vous prie.

Musique

La pièce est purement sentimentale. Elle est faite d'évocations... de souvenirs. C'est ce qui explique le violon en coulisses et la lumière diffuse (*geste*) qui la baigne.

Je ne suis pas seulement le récitant. Je tiens également un rôle dans la pièce.

Les autres personnages sont Amanda, ma mère ; Laura, ma sœur, et un « Monsieur en visite », qui fait son apparition dans les scènes finales. C'est le personnage le plus réaliste de la pièce, étant l'émissaire d'un univers de réalité duquel nous avons, en quelque sorte, été coupés. Mais, comme j'ai un faible pour les symboles, je dirai que ce personnage représente l'objet de nos rêves, ce « quelque chose » que toujours l'on attend et qui met souvent un temps fou à venir.

Il y a aussi un cinquième personnage. Mais qui, lui, ne se manifeste que sous la forme de cette photographie plus grande que nature que vous voyez au-dessus de la cheminée. Notre père (*projecteur*) qui nous a quittés il y a fort longtemps. Il était téléphoniste et un jour il a plaqué son standard pour aller s'ébattre dans les sentiers fleuris de la liberté... Il était amoureux du « Long Distance »...

La dernière fois que nous eûmes de ses nouvelles, ce fut sous la forme d'une carte postale en couleurs, venant de

Chihuahua, au Mexique, et qui contenait le laconique message que voici : « Hello, Good bye. Bonjour, Au revoir », et pas d'adresse.

Pour le reste, eh bien, mon Dieu, vous allez voir...

> *(On entend la voix d'Amanda à travers les portières baissées.)*

Sous-titre à l'écran[1] : *Mais où sont les neiges...*

> *(Tom écarte les portières et passe à l'arrière-plan. Amanda et Laura sont assises à une table pliante. Elles font les gestes de personnes qui mangent, mais il n'y a ni plat ni couvert. Amanda fait face au public. Tom et Laura seront de profil.*
> *La scène s'est éclairée lentement, et à travers le rideau transparent nous voyons Amanda et Laura, toutes deux assises autour de la table à l'arrière-plan.)*

AMANDA, *appelant.*

Tom !

TOM

Oui, maman.

AMANDA

Nous ne pouvons pas dire le bénédicité tant que tu ne seras pas à table.

TOM

J'arrive, maman.

---

1. L'utilisation de l'écran et des sous-titres est falcutative.

(Il fait une petite révérence au public, se retire, et reparaît quelques instants plus tard à sa place à la table.)

AMANDA, *à son fils.*

Ne *pousse* pas avec *tes doigts*, mon ange ; s'il faut absolument que tu pousses avec quelque chose, alors prends un croûton de pain. Et mâche — *mâche !* Les animaux ont l'estomac compartimenté de manière à pouvoir digérer les aliments sans les mastiquer ; mais les êtres humains sont censés *mâcher* leur nourriture avant de l'avaler et de la faire passer dans l'œsophage. Prends ton temps pour manger, mon fils, si tu veux déguster ce que tu manges. Un plat bien cuisiné recèle une quantité de saveurs qui demandent à être conservées dans la bouche pour être pleinement appréciées. Alors, mâche tes aliments et donne à tes glandes salivaires l'occasion de fonctionner...

(Posément Tom remet sa fourchette imaginaire sur la nappe et, d'une secousse, écarte sa chaise de la table.)

TOM

Je n'ai pas goûté une seule bouchée de mon dîner, avec tes conseils exaspérants. Et si j'expédie mes repas ventre à terre, c'est toi qui m'y obliges, toi qui guettes comme un vautour chaque morceau que je porte à ma bouche. Les sécrétions des animaux, les glandes salivaires, la mastication... Écœurant ! De quoi vous gâcher à tout jamais l'appétit !

AMANDA, *affectant de ne pas le prendre au sérieux.*

Ombrageux comme une vedette de l'Opéra ! *(Il se lève et vient à l'avant-scène.)* Personne ne t'a autorisé à quitter la table !

TOM

Je vais prendre une cigarette.

AMANDA

Tu fumes trop.

LAURA, *elle se lève.*

Je vais chercher le blanc-manger.

> *(Tom reste debout, adossé aux portières, la cigarette à la bouche, pendant l'entretien qui va suivre.)*

AMANDA, *se levant.*

Non, sœurette, non ! Aujourd'hui, c'est toi qui es la Dame et moi le Chevalier Servant.

LAURA

Mais puisque je suis debout.

AMANDA

Rassieds-toi, sœurette. Je veux que tu sois fraîche et jolie... pour les galants...

LAURA

Je n'attends pas de « galants ».

AMANDA, *traverse pour se rendre à la cuisine.*
D'un ton désinvolte.

Quelquefois ils viennent quand on les attend le moins. Ainsi par exemple, je me rappelle certain dimanche après-midi à Roche-Bleue...

> *(Elle disparaît dans la cuisine.)*

TOM

Je connais la suite.

LAURA

Oui, mais laisse-la raconter.

TOM

Encore ?

LAURA

Ça lui fait du bien, tu le sais...

AMANDA, *revient, apportant un compotier*

d'entremets.

Un dimanche après-midi à Roche-Bleue, votre mère a reçu dix-sept galants. Parfois on manquait de chaises, tellement ils étaient nombreux. Il fallait envoyer le nègre chercher des pliants au presbytère.

TOM, *toujours posté près des portières.*

Et comment les recevais-tu, tes « galants » ?

AMANDA

L'art de la conversation n'avait pas de secrets pour moi.

TOM

Ah ça, pour parler, je suis tranquille, tu t'y entendais !

AMANDA

En ce temps-là, les jeunes filles *savaient* causer, je vous assure.

TOM

Oui ?
Image : *Amanda en jeune fille sur un perron,*
recevant les visiteurs.

Elles savaient *recevoir* leurs galants. Il ne leur suffisait pas d'avoir un visage agréable et une silhouette gracieuse — encore que je n'aie pas été défavorisée sous ce rapport, croyez-le bien —, il fallait aussi un esprit subtil et une langue prompte à la repartie.

TOM

De quoi parliez-vous ?

AMANDA

De tous les événements importants qui arrivaient dans le monde. Jamais de choses grossières, communes ou vulgaires.

> *(Elle s'adresse à Tom comme s'il était assis à la place vacante et bien qu'il se tienne planté contre les portières. Tom joue cette scène comme s'il lui faisait réciter une leçon.)*

Mes soupirants étaient tous des gentlemen — *tous.* Parmi eux, il y avait quelques-uns des jeunes planteurs les plus en vue du delta du Mississippi — planteurs, fils de planteurs...

> *(D'un signe, Tom demande la musique et un projecteur sur Amanda. Amanda lève les yeux, son visage est radieux, sa voix prend une intonation plus riche, élégiaque.)*

Sous-titre à l'écran : *Mais où sont les neiges...*

Il y avait le jeune Lichlin, celui que l'on appelait « le Champion », et qui est devenu par la suite vice-président de la Banque des Planteurs. Hadley Stevenson, qui s'est noyé dans le lac de la Lune et qui a laissé à sa veuve cent cinquante mille dollars en bons du Trésor. Il y avait les frères Coutray, Pym et Wesley. Pym était un des plus brillants de mes galants. Un jour, il s'est pris de querelle avec ce jeune fou de Winfield. Ils ont réglé l'affaire au revolver sur la jetée du lac. Pym a reçu une balle dans le ventre. Il est mort dans l'ambulance. Lui aussi a laissé sa veuve amplement pourvue... elle a hérité de huit à dix mille arpents, vous vous rendez compte ! Il l'avait épousée par dépit — après s'être fait évincer ailleurs. En fait, il ne l'avait jamais aimée — c'était ma photo qu'il portait sur lui, le soir de sa mort. Et puis, il y avait aussi ce garçon merveilleux, spirituel, beau comme un astre, que s'arrachaient toutes les filles du Delta, le petit Fritz-Ritz de la Vallée Verte.

TOM

Qu'est-ce qu'il a laissé à sa veuve, lui ?

AMANDA

Il ne s'est jamais marié. Bonté divine ! On croirait à t'entendre que tous mes anciens amoureux regardent pousser les pissenlits par la racine !

TOM

N'est-ce pas le seul survivant de tous ceux que tu viens de citer ?

AMANDA

Il a émigré dans le Nord, le petit Fritz-Ritz, et il y a amassé une fortune considérable. A tel point qu'on l'appelait : « Sissime ». Il possédait le don magique du roi Midas — tout ce qu'il touchait se changeait en or. Et notez bien que j'aurais pu devenir Mme Fritz-Ritz. Mais, voilà... j'ai choisi *votre Père*.

LAURA, *se levant.*

Maman, laisse-moi débarrasser la table.

Non, sœurette. Va dans le salon étudier ton clavier de machine à écrire ou t'exercer à prendre en sténo. Reste jolie et fraîche. Nos galants ne vont pas tarder à arriver. (*Elle s'élance vers la cuisine avec une grâce minaudière.*) Combien crois-tu que nous allons en recevoir cet après-midi ?

> (*Tom jette son journal par terre et se redresse d'une brusque secousse, avec un grognement excédé.*)

LAURA, *seule dans la salle à manger.*

Je ne crois pas que nous en recevions un seul, maman.

AMANDA, *réapparaissant, d'un ton frivole.*

Comment ? Pas un... pas un seul ? Tu plaisantes !

> (*Laura fait écho à la gaieté de sa mère avec un petit rire contraint. Discrètement, elle se glisse à travers les portières entrouvertes, et les referme doucement derrière elle. Un vif rayon de lumière est projeté sur son visage qui se détache sur le fond de tapisserie des rideaux fanés.*)

Musique de fond : *La Ménagerie de verre* (très faible).

(*Sur le même ton frivole* :) Pas un seul galant ? Ce n'est pas possible ; ou alors, c'est qu'il y a de la tempête, dehors, un cataclysme, une inondation !

LAURA

Il n'y a pas de tempête, il n'y a pas d'inondation, maman. Il y a simplement que je n'ai pas le succès que tu avais à Roche-Bleue. (*Nouveau grognement de Tom. Laura lui jette un regard furtif, avec un faible rire*

d'excuse. D'une voix qui trahit une lé₈ère émotion :)
Maman a peur que je ne reste vieille fille.

Fondu... *avec accompagnement de* La Ménagerie de
verre.

SCÈNE II

Sous-titre à l'écran :
*« Laura, tu n'as jamais rencontré un garçon qui t'ait
plu ? »*

*(La scène est dans le noir. Seul l'écran est éclairé et
montre un bengali, puis graduellement, en surimpression,
le portrait de Laura. L'écran s'éteint. La musique s'arrête.*
*Laura est assise sur une fragile petite chaise couleur
d'ivoire près d'une petite table à pieds de griffon.*
*Elle porte une robe d'un tissu soyeux de teinte violette
du genre utilisé pour les kimonos. Ses cheveux, tirés en
arrière, sont retenus par un ruban.*
*Elle est en train de nettoyer et d'astiquer sa collection
d'animaux de verre.*
*Amanda apparaît sur les marches de l'escalier de
secours. Laura s'immobilise, oppressée, repousse loin
d'elle la coupe qui contient ses bibelots et se tient assise,
très droite, les yeux fixés sur le tableau du clavier Remington comme si elle était entièrement absorbée par son étude.*
*Il a dû arriver quelque chose à Amanda, cela se lit sur
son visage tandis qu'elle gravit les quelques marches. Son
expression est farouche, désespérée et un peu ridicule.*
*Elle porte un pauvre manteau de peluche avec un col en
imitation de fourrure. Son chapeau, une affreuse cloche, a
bien cinq ou six ans. Elle tient serré contre elle un énorme
carnet en cuir verni noir avec fermoir et initiales nickelées.
C'est sa grande tenue. Celle qu'elle met pour aller au
F.R.A. (Club des Filles de la Révolution américaine).*
Elle regarde à travers le grillage de la porte.

Elle fait une moue, ouvre tout grands les yeux, les lève au ciel, et secoue la tête. Après quoi, elle ouvre lentement la porte et entre. En voyant l'expression de sa mère, Laura, d'un geste involontaire, porte vivement la main à sa bouche.)

LAURA

C'est toi, maman ? J'étais en train de...

(Elle a un geste nerveux comme pour montrer le schéma du clavier Remington accroché au mur. Amanda s'adosse à la porte refermée et considère sa fille avec un regard de martyr.)

AMANDA

Tromperies ! Mensonges ! Imposture !

(Elle se débarrasse lentement de son chapeau et de ses gants, avec le regard absent des grandes douleurs muettes. Elle laisse tomber le chapeau et les gants par terre. Petite séance de comédie.)

LAURA, *d'une voix troublée.*

Comment s'est passée la séance du F.R.A. ? (*Amanda ouvre lentement son sac, en retire un minuscule mouchoir blanc qu'elle secoue délicatement avant de se tamponner, toujours délicatement, les lèvres et le bout du nez.*) Tu n'es pas allée à la réunion du F.R.A., maman ?

AMANDA, *d'une voix faible, presque imperceptible.*

Non... non. (*Un peu plus fort.*) Je n'ai pas eu la force d'aller au club. En fait, je n'en ai pas eu le courage. J'aurais voulu trouver un trou de souris et m'y cacher à tout jamais.

(Elle traverse la scène, va vers le mur et décroche le tableau Remington. Elle le tient à bout de bras pendant une seconde, le regarde

avec une expression de douleur indicible, se mord les lèvres et déchire le tableau en deux.)

LAURA, *dans un souffle.*

Pourquoi as-tu fait cela, maman ? (*Amanda réédite la même scène, cette fois avec le tableau de sténo.*) Pourquoi as-tu... ?

AMANDA

Pourquoi ? Pourquoi ? Hein ! Quel âge as-tu, Laura ?

LAURA

Tu le sais très bien, maman.

AMANDA

Je croyais que tu avais l'âge de raison ; il semble que je me sois trompée.

(Elle gagne lentement le sofa, s'y laisse tomber et regarde fixement Laura.)

LAURA

Je t'en prie, maman, ne me dévisage pas comme cela.

(Amanda ferme les yeux et baisse la tête. Compter jusqu'à 10.)

AMANDA

Qu'allons-nous faire ? Qu'allons-nous devenir ? Qu'est-ce que l'avenir nous réserve ?

(Compter jusqu'à 10.)

LAURA

Il est arrivé quelque chose, maman ? (*Amanda pousse un long soupir, et de nouveau sort son petit mouchoir.*

Nouvelle séance de tamponnement.) Maman, est-ce qu'il est arrivé quelque chose ?

AMANDA

Cela va passer tout de suite. Je suis simplement confondue (*compter jusqu'à cinq*) par la vie...

LAURA

Maman, je te supplie de me dire ce qui est arrivé !

AMANDA

Comme tu le sais, je devais inaugurer mes fonctions au Club des Filles de la Révolution américaine cet après-midi.

Image à l'écran : *Une nuée de machines à écrire.*

Mais, je me suis arrêtée en passant à l'École commerciale pour dire deux mots à tes professeurs au sujet de ton rhume et en même temps leur demander s'ils étaient satisfaits de tes progrès.

LAURA

Oh !...

AMANDA

Je me suis adressée à la monitrice du cours de dactylographie. Je me suis présentée. Elle ne te connaissait pas. « Gordon, a-t-elle dit, nous n'avons pas d'élève de ce nom-là à l'école. » Je lui ai soutenu le contraire, j'ai affirmé que tu fréquentais les cours depuis le début de janvier. « Je me demande, a-t-elle fait, si la jeune fille dont vous parlez ne serait pas cette petite, affreusement timide, qui a disparu de l'école après seulement quelques jours de présence. » Non, lui ai-je dit, ma fille Laura fréquente régulièrement vos cours depuis six semaines. « Permettez », a-t-elle fait. Elle a pris le registre des classes et il y avait là ton nom, sans erreur possible, ton nom imprimé en toutes lettres, avec les dates de tes absences, jusqu'au jour où ils avaient fini par conclure que tu ne viendrais plus. Néanmoins, je m'acharnais à lui dire : « C'est impossible, on a dû se tromper, il doit y avoir une erreur dans les registres. » Et voilà qu'elle me fait : « Non, je me souviens très bien d'elle maintenant. Ses mains tremblaient tellement qu'elle se trompait constamment de touches. La première fois que nous avons fait un essai de vitesse, elle s'est complètement effondrée. Elle a été prise de nausées, et il a presque fallu la porter jusqu'aux lavabos. Depuis ce jour-là, elle n'a plus reparu. Nous avons téléphoné chez elle, mais cela ne répondait jamais. » Sans doute pendant que j'étais chez Samson, Samson et Brouttenberg, en train de faire des démonstrations d'appareils ménagers... Oh !... J'ai failli me trouver mal ; c'est à peine si je pouvais me tenir debout. J'ai été forcée de m'asseoir pendant qu'on allait me chercher un verre d'eau. Cinquante dollars d'inscription, tous nos beaux projets, mes espérances, les ambitions que j'avais pour toi, tout cela s'est évanoui en fumée... en fumée... (*Laura pousse un long soupir et se lève gauchement. Elle va au gramophone et le remonte.*) Qu'est-ce que tu fais ?

LAURA, surprise.

Oh !...

(*Elle lâche la manivelle et revient s'asseoir.*)

AMANDA

Laura, où allais-tu quand tu prétendais te rendre à l'école commerciale ?

LAURA

Je me promenais, tout simplement.

AMANDA

Ce n'est pas vrai.

LAURA

Je t'assure. Je marchais dans les rues.

AMANDA

Tu marchais dans les rues ? Tu marchais dans les rues ? En plein hiver ? En somme, tu flirtais délibérément avec la pneumonie, sous ce manteau de demi-saison. Et où allais-tu ainsi, Laura ?

LAURA

Un peu partout. Dans le parc, la plupart du temps.

AMANDA

Même après avoir attrapé ce refroidissement ?

LAURA

J'ai choisi le moindre de deux maux, maman.

Image : *Vue du parc en hiver.*

Je n'aurais jamais osé retourner là-bas. J'aurais vomi sur le parquet.

AMANDA

Tu prétends que tous les jours, de cinq heures et demie jusqu'à sept heures passées, tu te promenais dans le parc, à seule fin de me faire croire que tu continuais à fréquenter l'école commerciale Rubicam ?

LAURA

Ce n'était pas aussi pénible que tu sembles le croire. J'entrais parfois pour me réchauffer...

AMANDA

Où cela ?

LAURA

Au Musée d'Art moderne... dans les volières du jardin zoologique. Chaque jour, je rendais visite aux pingouins. D'autres fois, je me passais de déjeuner et j'allais au cinéma. Ces derniers temps, j'allais presque tous les après-midi à l'Écrin, cette grande serre où on cultive les fleurs tropicales.

AMANDA

Et *tout cela* pour me tromper, *uniquement* pour me berner.

LAURA, *elle baisse les yeux.*

Maman, chaque fois que tu es contrariée, tu prends une expression douloureuse, tellement pénible... Tu ressembles à la Mère de Jésus, sur le tableau du musée.

AMANDA

Tais-toi, je t'en prie !

LAURA

Je ne me sentais pas le courage de t'affronter.

(Silence. Frôlement de harpe.)

Sous-titre à l'écran : *Le Croûton de l'Humilité.*

AMANDA, *dans son désarroi,*
tripote machinalement l'énorme carnet.

A quoi allons-nous passer le reste de notre existence, désormais ? Veux-tu me dire ? A regarder par la fenêtre passer les défilés ? A faire joujou avec la ménagerie de verre ? N'est-ce pas, mon ange ? A jouer indéfiniment les mêmes vieux disques usés que ton père nous a laissés en souvenir de lui ? Joli cadeau, entre parenthèses. Ce qui est sûr, c'est que nous ne ferons pas une carrière dans les affaires — non ! —, nous avons plaqué tout cela, sous prétexte que nous sommes impressionnables et que cela nous donne mal au cœur. (*Rit avec lassitude.*) Que nous reste-t-il comme perspective, maintenant ? Vivre toute notre vie à la charge d'autrui ? Je ne sais que trop bien ce que deviennent les femmes seules qui n'ont pas su se préparer une carrière. J'en ai vu des exemples tellement pitoyables chez nous, dans le Sud ! De vieilles filles vivant chichement à la charge du mari de la sœur ou de la femme du frère, tolérées à contrecœur, essuyant toutes les vexations et les rebuffades réservées aux parents pauvres. Reléguées dans une chambre grande comme un trou de souris — avec le beau-frère qui les renvoie chez la belle-sœur et vice versa —, de pauvres petites femmes semblables à des oiseaux sans nid, forcées de ronger toute leur vie le maigre croûton de l'humilité. Est-ce là ce qui nous attend ? Est-ce là l'avenir que nous nous sommes ménagé ? Je te jure que je ne vois pas d'autre possibilité. Ce n'est pas un destin très agréable à envisager, n'est-ce pas ? Bien sûr — il y a *aussi* des jeunes filles qui se *marient*. (*Laura se tord nerveusement les mains.*) Tu n'as jamais rencontré un garçon qui t'ait plu ?

LAURA

Si. Cela m'est arrivé une fois. (*Se lève.*) J'ai revu sa photo dernièrement.

AMANDA, *manifestant de l'intérêt.*

Il t'a donné sa photo ?

LAURA

Non, elle est dans l'annuaire du collège.

AMANDA, *déçue.*

Ah... Un étudiant ?

Image à l'écran : *Jim le Héros, brandissant une coupe d'argent.*

LAURA

Oui. Il s'appelait Jim. (*Laura va prendre le pesant annuaire sur la petite table à pieds de griffon.*) Le voilà dans *Les Pirates de Cornouailles.*

AMANDA, *l'air absent.*

Les quoi ?

LAURA

L'opérette qu'ils avaient montée en classe de première. Il avait une voix merveilleuse, et je me souviens que nous étions placés juste face à face, de chaque côté de l'amphi, les lundi, mercredi et vendredi. Le voilà avec la coupe d'argent. Il venait de remporter le premier prix d'éloquence. Tu vois comme il rit ?

AMANDA, *l'air absent.*

Il devait avoir le caractère gai.

LAURA

Il m'appelait « Bengali » .

Image à l'écran : *Un bengali.*

AMANDA

Pourquoi te donnait-il ce nom-là ?

LAURA

Parce que nous suivions les cours de chant ensemble, et il trouvait que j'avais une toute petite voix d'oiseau. Alors il m'a appelée « Bengali » ... Je n'aimais pas beaucoup la jeune fille qu'il fréquentait, Emily Weisenbach. Emily était la fille la mieux habillée du collège. J'avoue que j'avais toujours un peu douté de la sincérité de ses sentiments... Dans le bulletin des anciens élèves, on a annoncé leurs fiançailles, il y a... six ans de cela. Ils doivent être mariés, depuis le temps.

AMANDA

Enfin... Les jeunes filles qui ne sont pas taillées pour la carrière des affaires finissent généralement par épouser un monsieur bien. (*Elle se lève avec un regain de vitalité.*) Sœurette, je prévois que c'est ce qui t'arrivera.

LAURA, *interloquée, laisse échapper un petit rire incrédule. Elle tend vivement le bras pour prendre une figurine de verre.*

Mais, maman..

AMANDA

Quoi donc ?

(*S'avance vers la photographie.*)

LAURA, *d'un ton apeuré, comme en s'excusant.*

Je suis... infirme...

Image : *L'écran vide.*

AMANDA

Sottises ! Laura, je croyais t'avoir dit de ne jamais prononcer ce mot ! Tu n'es pas infirme. Tu as simplement une petite... imperfection physique, qui se remarque à peine, d'ailleurs. Quand les gens ont un léger défaut de ce genre, eh bien, ils le compensent en cultivant d'autres dons : leur personnalité, leur vitalité, et puis... euh, leur... *charme.* Voilà ce qu'il faut que tu fasses, c'est tout simple. (*Elle se tourne de nouveau vers la photographie.*) Ah pour ça, ton père en avait, lui, *du charme* !

(*Tom fait signe au violon dans la cuisine.*)

Fondu en musique.

SCÈNE III

Sous-titre à l'écran : *Après le fiasco.*

TOM, *planté au pied de l'escalier de secours.*

Après le fiasco de l'école professionnelle, l'idée de trouver un soupirant à Laura prit une place de plus en plus importante dans les calculs de ma mère. Au point de devenir une véritable obsession. Dès lors, tel un nostalgique ectoplasme, le fantôme du soupirant hanta notre petit appartement.

Image à l'écran : *Jeune homme à la porte tenant à la main un bouquet de fleurs.*

Nous passions rarement une soirée à la maison sans que fût évoquée cette image fugitive, cette ombre, cet espoir... Même quand il n'y était pas fait allusion, on sentait dans le regard préoccupé de ma mère, dans les gestes craintifs et les yeux implorants de ma sœur, on sentait sa présence peser comme une malédiction sur la famille Gordon. Maman, certes, s'y entendait pour parler. Mais à l'occasion, elle savait aussi agir. Elle entreprit sur-le-champ des démarches systématiques, rationnelles, en vue du but convoité. Vers le début du printemps, voyant qu'elle allait avoir besoin de fonds pour capitonner convenablement le nid et plumer le pigeon, elle engagea une vigoureuse campagne au téléphone. Il s'agissait d'extorquer à ses relations des abonnements pour le compte du *Compagnon de la femme au foyer*, un de ces périodiques à l'usage des dames sur le retour, spécialisés dans les sublimations feuilletonnesques de certaines romancières. De ces femmes de lettres dont la pensée folâtre parmi les « seins fragiles comme des coupes d'albâtre », les « tailles fuselées », les « hanches comme des amphores », les « cuisses laiteuses et veloutées », les « peaux semblables à la fumée automnale des pommes de pin », les « doigts apaisants et caressants comme des accords de clavecin », les « corps puissants comme des sculptures étrusques ».

Image à l'écran :
Couverture criarde de magazine représentant une jolie femme.

> *(Amanda fait son entrée, elle porte l'appareil téléphonique au bout de son fil. Le projecteur se centre sur elle, dans la pièce faiblement éclairée.)*

AMANDA

Ida Scott ? Ici Amanda Gordon. Si vous saviez comme vous nous avez *manqué* à la réunion du club lundi dernier ! Je me suis dit : « Elle doit certainement souffrir de sa sinusite. » Au fait, comment va cette sinusite ? Quelle horreur ! Miséricorde *divine* ! Vous êtes une véritable martyre, il n'y a pas d'autre mot ! Une martyre *chrétienne*... Mais si ! Alors voilà, je viens de m'apercevoir à l'instant que votre abonnement au *Compagnon* est sur le point d'expirer. Oui, oui, avec le prochain numéro, ma chère, et juste au moment où commence le passionnant feuilleton de Bessy Mac Alister. Oh, ma chère, il ne faut rater cela à aucun prix. Vous vous rappelez l'enthousiasme délirant soulevé par *Autant en emporte le vent* ? C'est bien simple, on ne parlait plus que de Scarlett O'Hara. Eh bien, le roman dont je vous parle, les critiques le comparent déjà à *Autant en emporte le vent*. C'est l'*Autant en emporte le vent* de la génération d'après-guerre... Quoi ?... Brûlé ?... Oh, ma chère, ne le laissez pas brûler, allez vite jeter un coup d'œil dans le four, je reste au bout du fil. Juste Ciel ! Je crois bien qu'elle a raccroché !

Pénombre

Sous-titre à l'écran : *Tu crois peut-être que je couche avec la Société des chaussures Continental ?*

(Avant que la scène s'éclaire, on entend les voix de Tom et d'Amanda qui se disputent. Ils se tiennent derrière les portières de la baie. Laura est debout devant eux, les mains jointes et crispées. Son visage exprime la peur. Durant toute la scène, elle baigne dans un rayon de lumière.)

TOM

Mais bon sang, qu'est-ce que...

AMANDA, *d'une voix stridente.*

Tu n'as pas honte de...

TOM

... tu veux que je fasse ?

AMANDA

... jurer en présence de...

TOM

Ohhh...

AMANDA

... ta mère ! As-tu perdu le sens commun ?

TOM

Non, maman, *on* me l'a *fait* perdre !

AMANDA

Mais qu'est-ce que tu as, espèce de grand IMBÉCILE ?

31

TOM

Écoute. Je n'ai *rien*, absolument rien...

AMANDA

Pas si fort.

TOM

... qui soit réellement à moi dans cette maison. Tout est...

AMANDA

Cesse de brailler !

TOM

Hier, tu as confisqué mes livres. Tu as eu le toupet de...

AMANDA

De rendre cet ignoble roman à la bibliothèque. Parfaitement. Ce livre répugnant, *L'Amant de Lady* je ne sais plus quoi de ce détraqué de Lawrence ! (*Tom éclate d'un rire exaspéré.*) S'il n'est pas en mon pouvoir de censurer les élucubrations de ces cerveaux malades, ou de décourager leur clientèle... (*le rire de Tom redouble*) au moins ne tolérerai-je pas la présence dans ma maison de pareilles ordures. Non, non, non, non et non !

TOM

La maison, la maison... Qui est-ce qui paie le loyer de la maison ? Qui est-ce qui peine comme un forçat pour... ?

AMANDA, *d'une voix stridente, hurlant presque.*

Si tu oses dire...

TOM

Non, non bien sûr. *Moi* je n'ai le droit de rien dire. *Moi* j'ai tout juste le droit...

AMANDA

Écoute-moi bien...

TOM

J'en ai par-dessus la tête ! (*Il écarte brutalement les portières. Le fond de la scène est éclairé d'une lueur rouge, fumeuse et dense (feu de bengale). Les cheveux d'Amanda sont entortillés sur des bigoudis. Elle porte un très vieux peignoir, beaucoup trop grand pour elle, un souvenir de l'infidèle M. Gordon. Sur la table pliante, une machine à écrire d'un vieux modèle et un amas de manuscrits. La querelle a dû être hâtée par le fait que Tom était plongé dans les affres de la création artistique lors de l'intervention d'Amanda. A terre, une chaise renversée. La vive lueur rouge projette au plafond leurs ombres gesticulantes.*)

AMANDA

Tu m'écouteras *jusqu'au bout*, tu...

TOM

Non, je ne t'écouterai pas. Je sors !

AMANDA

Tu vas me faire le plaisir de rester.

TOM

Je sors... Je sors... Je sors... j'en ai...

AMANDA

Viens ici, Tom Gordon ! Je n'ai pas fini...

TOM

Oh, va te...

LAURA, *désespérée.*

Tom...

AMANDA

Tu vas m'écouter. Et assez d'insolences ! Ma patience est à bout.

TOM, *il revient sur elle.*

Et la mienne, donc ! Crois-tu qu'elle soit inépuisable, ma patience ? Oh, je sais, je sais, à tes yeux, cela a si peu d'importance, n'est-ce pas, ce petit décalage entre ce que *je fais*, et ce que j'ai *envie de faire*. Tu ne crois tout de même pas... ?

AMANDA

Je crois que tu as fait quelque chose dont tu as honte. Voilà la raison de ton attitude. Je ne peux pas croire que tu ailles tous les soirs au cinéma. Personne ne va soir après soir au cinéma. A moins d'avoir le cerveau dérangé, on ne va pas au cinéma à onze heures du soir ; d'ailleurs, les salles ne ferment pas à deux heures du matin... Et ça rentre en titubant, ça marmonne tout seul comme un fou... Ça dort trois heures et ça repart travailler. Oh, je vois d'ici le genre de travail que tu peux faire à l'entrepôt, ça doit être joli ! Tu dois dormir debout et traîner comme un somnambule. Et pourquoi ? Parce que tu n'es pas dans ton état normal...

TOM, *sauvagement.*

Non, je ne suis pas dans mon état normal !

AMANDA

De quel droit oses-tu saboter ton travail ? Mettre en péril notre sécurité à tous ? T'es-tu demandé ce que nous allions devenir, si tu... ?

TOM

Mais dis donc, tu t'imagines que j'ai une folle *passion* pour l'entrepôt ? (*L'air féroce, il se penche sur la frêle silhouette de sa mère.*) Tu crois peut-être que je *couche* avec la Société des chaussures Continental ? Tu te figures que j'ai envie de passer cinquante-cinq ans de ma vie entre quatre murs en Celotex-Garanti-Insonore, éclairés par des tubes fluorescents au gaz rare ? Écoute, il y a des matins où je préférerais qu'on m'aplatisse la cervelle à coups de barre de fer plutôt que de retourner au travail. Et pourtant, *j'y retourne.* Chaque fois que je t'entends rappliquer en beuglant ton sacré « Debout les Morts ! Debout les Morts ! » je me dis à part moi : ce qu'on doit être heureux quand on l'est, mort ! Mais je me lève, je reprends le collier. Pour soixante-cinq dollars par mois, je renonce définitivement à tout ce que je rêvais de faire, à tout ce que j'ai rêvé d'être. Tu me prétends égoïste — égoïste — c'est le seul mot qui te vienne à la bouche. Eh bien, écoute donc, je vais te dire une chose : si j'étais le moins du monde égoïste, maman, je serais là où il est... parti... (*Désignant la photographie du père*)... aux antipodes... Au terminus de la ligne du bout du monde. (*Il fait un mouvement pour s'en aller. Elle lui agrippe le bras.*) Et ne t'accroche pas à moi, maman.

AMANDA

Où vas-tu ?

TOM

Je vais au *cinéma.*

AMANDA

C'est un mensonge. Je ne te crois pas.

TOM (*Il revient à elle comme un fauve qui s'apprête à bondir, écrasant de toute sa taille la frêle silhouette. Elle recule, le souffle coupé.*)

Je vais dans des fumeries d'opium. Parfaitement ! dans les antres du vice et du crime, dans des repaires de bandits, maman. Je fais partie de la Maffia, je suis un homme de main !... un assassin à gages. Je porte une mitraillette dans un étui à violon. Je dirige un circuit de bordels dans le Sud. On m'appelle « La Rafale », « Gordon la Rafale ». Je mène une double vie : le jour, je suis un modeste employé de l'entrepôt, et la nuit, un redoutable *caïd* de la *pègre*. Je suis le roi des *bas-fonds*, maman. Je hante les tripots, je dilapide des fortunes à la roulette, je porte un bandeau sur l'œil gauche et une fausse moustache, et certains soirs, je m'affuble d'une barbe verte. Ces jours-là on m'appelle *El Diablo*. Oh, je pourrais t'en raconter des choses, des choses qui t'empêcheraient de dormir. Tiens : mes ennemis ont projeté de faire sauter cette maison. Un de ces soirs, ils vont nous expédier tous dans les étoiles. Et j'en serai très heureux, très heureux, tu m'entends, et toi aussi. Tu t'envoleras à cheval sur un manche à balai, et tu survoleras ta Roche-Bleue et tes dix-sept galants. Vieille perruche. *Vieille sorcière décrépite !*

> (*Il accomplit une série de gestes violents et maladroits. Il empoigne son pardessus, se précipite vers la porte qu'il ouvre brutalement. Les deux femmes le regardent, consternées. Il s'est pris un bras dans la manche de son pardessus en essayant de l'enfiler et, pendant un instant, se trouve immobilisé dans une posture ridicule. Avec un grognement de fureur, il tire violemment sur son pardessus dont la manche se déchire, et le lance à travers la pièce. Le pardessus tombe sur le rayon de l'étagère où se trouve la collection d'animaux de verre. Tintements de verre brisé. Laura pousse un cri de bête blessée.*)

Musique

Sous-titre à l'écran : *La Ménagerie de verre*.

LAURA, *d'une voix stridente*.

Ma ménagerie de verre... Mes petits animaux...

(Elle cache son visage dans ses mains et se détourne. Mais c'est à peine si Amanda, assommée par les mots « Sorcière décrépite », a remarqué l'accident. Elle finit par recouvrer l'usage de la parole.)

AMANDA, *d'une voix atroce.*

Je ne t'adresserai plus la parole tant que tu ne m'auras pas fait des excuses !

(Elle passe entre les portières et les referme derrière elle. Tom est à gauche avec Laura qui se cramponne faiblement à la cheminée, le visage détourné. Tom se met à genoux pour ramasser les débris de verre, tout en regardant Laura comme s'il voulait parler mais n'en trouvait pas la force. L'air de La Ménagerie de verre *se fait entendre, doucement, tandis que peu à peu la scène s'éteint.)*

SCÈNE IV

L'intérieur est dans l'obscurité. L'impasse est faiblement éclairée. Une cloche d'église au son grave sonne vingt heures au moment où la scène commence. Tom apparaît au bout de l'impasse. Après chaque coup assourdissant de la cloche, il agite une crécelle comme pour souligner le contraste entre la minuscule vibration humaine et la puissance majestueuse du Créateur. Cette mimique et sa démarche hésitante prouvent qu'il a bu. Pendant qu'il monte les quelques marches de l'escalier de secours accédant au palier, la scène s'éclaire. Tom (toujours à la porte) fouille dans ses poches, à la recherche de sa clef. Il en retire un assortiment d'objets hétéroclites, notamment une invraisemblable quantité de talons de billets de cinéma et une bouteille vide. Enfin, il finit par trouver sa clef, mais au moment où il va l'introduire dans la serrure, elle glisse et lui échappe. Il allume une allumette et s'accroupit devant la porte.

TOM, *amèrement.*

Juste une toute petite fente, et il a fallu qu'elle tombe dedans.

LAURA, *ouvre la porte.*

Tom, Tom, qu'est-ce que tu fais ?

TOM

Je cherche ma clef...

LAURA

D'où viens-tu à cette heure ?

TOM

J'étais au cinéma.

LAURA

Tu as passé tout ce temps au cinéma ?

TOM

Le programme était très long. Il y avait un film avec Marlene Dietrich, un Mickey Mouse, un documentaire, les actualités, et puis la bande-annonce du prochain film. Et puis il y avait un solo d'orgue et une quête pour l'œuvre de la Goutte de lait — simultanément — qui s'est terminée par une engueulade terrible entre une grosse dame et un placeur.

LAURA, *naïvement.*

Tu as tenu à voir tout le programme ?

TOM

Bien entendu. Ah oui, j'oubliais ! Il y avait aussi des attractions sur scène, avec un numéro sensationnel de prestidigitation. Malvolio, le magicien. Il a exécuté toute une série de tours extraordinaires, comme par exemple de transvaser de l'eau d'un broc dans un autre broc, et ainsi de suite : d'abord l'eau s'est transformée en vin, et puis en bière, et finalement en whisky... tu comprends, il avait demandé quelqu'un parmi les spectateurs pour monter sur scène lui donner un coup de main, alors je suis monté aux deux séances. C'était du Johnnie Walker, vingt ans de bouteille. Un type très généreux... distribuait des souvenirs, aussi. (*Il tire de sa poche de derrière un foulard chatoyant aux couleurs de l'arc-en-ciel.*) Tu vois, il m'a fait cadeau de son foulard magique. Je te le donne, Laura. Tu l'agites au-dessus d'une cage à serins et la cage devient un bocal de poissons rouges. Tu l'agites sur un bocal de poissons rouges et, hop, voilà tes serins qui s'envolent... Mais le coup le plus formidable, c'était le tour du cercueil. On l'a cloué dans un cercueil, et il en est sorti sans déranger un seul clou. (*Il est entré tout en parlant.*) Voilà un truc qui me serait drôlement utile à moi... pour sortir de mon pétrin.

> (*Il s'affale sur le lit et commence à retirer ses chaussures.*)

LAURA

Tom, chut !

TOM

Pourquoi chut ?

LAURA

Tu vas réveiller maman.

TOM

Bravo ! Bravo ! Ça me vengera de ses éternels « Debout les Morts ». (*Il se couche en grommelant.*) Tu sais, Laura, il ne faut pas être spécialement intelligent pour se laisser enfermer dans un cercueil cloué. Mais je voudrais foutrement bien savoir comment on peut s'en sortir sans déranger un seul clou.

(Comme pour répondre à cette question, la photographie du père souriant s'allume.)

Fondu

(Immédiatement après, la cloche de l'église sonne six coups. Au sixième, le réveille-matin se met à sonner dans la chambre d'Amanda, et, au bout d'un instant, on l'entend crier :)

Voix d'Amanda

Debout les Morts ! Debout les Morts ! Laura, va crier « Debout les Morts » à ton frère.

Tom, *se mettant lentement sur son séant.*

Je veux bien me lever, mais qu'on ne me casse pas les oreilles avec ce refrain !

(La scène s'éclaire de plus en plus.)

Amanda

Laura, dis à ton frère que son café est prêt.

Laura, *passe dans la pièce du devant.*

Tom, il est près de sept heures. Ne contrarie pas maman. *(Il écarquille les yeux et la regarde d'un air hébété. Laura, d'un ton suppliant :)* Tom, parle-lui. Raccommode-toi avec elle, fais-lui tes excuses, dis-lui quelque chose.

Tom

C'est elle qui ne veut pas. C'est elle qui a commencé à ne pas me parler.

LAURA

Si tu lui dis simplement que tu regrettes, elle parlera.

TOM

Est-ce tellement tragique qu'elle reste sans parler ?

LAURA

Je t'en prie, je t'en prie.

AMANDA, *criant de la cuisine.*

Laura, est-ce que tu as fait ce que je t'ai demandé, ou faut-il que je m'habille et que j'y aille moi-même ?

LAURA

J'y vais, j'y vais. Le temps de passer mon manteau. (*D'un geste saccadé, elle enfonce sur sa tête un vieux chapeau de feutre informe, tout en lançant à Tom des regards suppliants. Elle se précipite maladroitement pour chercher son manteau, vieille défroque d'Amanda, mal retapée et dont les manches sont trop courtes pour elle.*) Du beurre et quoi d'autre ?

AMANDA, *fait son entrée à l'arrière-plan.*

Du beurre, c'est tout. Dis-leur de le mettre sur le compte.

LAURA

Maman, si tu voyais la tête du crémier quand je lui demande ça !

AMANDA

Un coup de gourdin peut vous casser les reins, comme disait ma grand-mère, mais la tête que fait M. Garfunkel ne nous cassera jamais que les pieds, si j'ose m'exprimer ainsi. Préviens ton frère que son café refroidit.

LAURA, *sur le pas de la porte.*

Fais ce que je t'ai demandé, Tom, tu veux ? Tu veux, dis ?

(Il se détourne d'un air maussade.)

AMANDA

Laura, tu y vas ou tu restes là ? Décide-toi.

LAURA

J'y vais... J'y vais.

> *(Une seconde plus tard, elle pousse un cri.*
> *Tom se lève d'un bond et court vers la porte.*
> *Amanda arrive précipitamment dans la pièce.*
> *Tom ouvre la porte.)*

TOM

Laura !

LAURA

Ce n'est rien. J'ai glissé, mais je n'ai pas de mal.

AMANDA, *la suivant anxieusement du regard.*

Si quelqu'un se cassait la jambe à cause de ce maudit escalier de secours, le propriétaire mériterait d'être poursuivi et mis sur la paille.

> *(Elle ferme la porte, se souvient qu'elle ne*
> *parle pas à Tom et regagne l'autre chambre.*
> *Lorsque Tom entre d'un air indifférent pour*
> *venir prendre son café, Amanda lui tourne le*
> *dos et reste debout, plantée devant la fenêtre*
> *qui donne sur le mur sinistre de l'impasse.*
> *La lumière venant de la fenêtre éclaire son*
> *visage et fait ressortir cruellement la trace des*

années sur ses traits enfantins. Elle fait penser à un Daumier.)

*La musique joue l'*Ave Maria *en sourdine.*

> *(Tom lance du côté de sa mère un regard penaud, mais toujours maussade, et s'assied lourdement à table. Le café est brûlant ; il manque s'étouffer à la première gorgée et la recrache dans sa tasse. Au bruit, Amanda sursaute et se retourne à demi, mais elle se reprend et regarde de nouveau par la fenêtre. Tom souffle sur son café tout en surveillant sa mère du coin de l'œil. Elle s'éclaircit la voix, il en fait autant. Il va pour se lever, retombe sur sa chaise, se gratte la tête et se racle de nouveau la gorge. Amanda toussote. Tom saisit sa tasse à deux mains pour souffler dessus sans cesser de regarder sa mère par-dessus le bord de sa tasse. Enfin, il repose lentement la tasse et se lève en hésitant.)*

TOM, *d'une voix rauque.*

Maman, je... euh... je te fais mes excuses.

> *(Amanda sursaute nerveusement. Ses traits se crispent comiquement et elle fond en larmes comme une enfant.)*

AMANDA, *sanglotant.*

C'est l'excès de dévouement qui a fait de moi une... une sorcière. Quand je pense que je me rends insupportable à mes propres enfants.

TOM

Non, pas du tout.

AMANDA

Je me tracasse tant, je ne dors pas, et cela me rend nerveuse.

TOM, *avec douceur.*

Je comprends.

AMANDA

Voilà des années que je suis seule à lutter. Mais tu es mon bras droit, mon chevalier servant. Ne tombe pas, je t'en prie, ne faillis pas à ta tâche.

TOM, *avec douceur.*

Je fais de mon mieux, maman.

AMANDA, *débordante d'enthousiasme.*

Toute peine trouve sa récompense. Tu réussiras, j'en suis sûre ! (*Cette perspective optimiste lui coupe le souffle.*) Mais voyons, tu... tu es un garçon plein de dons... bourré de talent. D'ailleurs mes deux enfants sont des natures *exceptionnelles*. Ne va pas t'imaginer que je ne m'en rends pas compte. Je suis si *fière*, si heureuse... je sens que j'ai été comblée, mais promets-moi une chose, mon petit.

TOM

Quoi, maman ?

AMANDA

Promets que tu ne deviendras jamais un ivrogne.

TOM, *se tourne vers elle avec un large sourire.*

Je ne deviendrai jamais un ivrogne, maman.

AMANDA

Voilà ce qui me fait si peur, l'idée que tu pourrais te mettre à boire. Mange un bol de porridge.

TOM

Rien que du café, maman.

AMANDA

Des beignets de maïs ?

TOM

Non, non, maman, seulement du café.

AMANDA

Tu n'es pas raisonnable. Tu ne peux pas travailler toute la journée sans rien dans l'estomac. Tu as dix minutes. N'engloutis pas ton café. A boire bouillant, on finit par attraper un cancer de l'œsophage... Mets du lait.

TOM

Non, merci.

AMANDA

Pour le refroidir.

TOM

Non, non, merci, je le bois noir.

AMANDA

Je sais, mais c'est mauvais pour toi. Il ne faut pas manquer une occasion de se fortifier, n'oublie pas. La santé est la chose primordiale. Dans l'époque difficile que nous traversons, la seule chose à quoi nous puissions nous raccrocher c'est... euh... les uns aux autres. C'est pourquoi il est si important de... enfin, je m'entends... Tom, j'ai... j'ai fait sortir ta sœur pour pouvoir t'entretenir sérieusement de quelque chose. Si tu ne m'avais pas parlé le premier, c'est moi qui t'aurais parlé.

(Elle s'assied.)

TOM, *avec douceur.*

Qu'est-ce qu'il y a, maman ? De quoi s'agit-il ?

AMANDA

Il s'agit de Laura...

(Tom pose lentement sa tasse.)

Sous-titre à l'écran : *Ah, Laura !*

Musique : *La Ménagerie de verre.*

TOM

Ah, Laura !...

AMANDA, *touchant sa manche.*

Tu sais comment elle est. Si calme, si réservée, mais... attention... il ne faut pas se fier à l'eau qui dort. Elle *voit* les choses et je crois qu'elle les rumine toute seule. (*Tom lève les yeux.*) Il y a quelques jours, je l'ai surprise en train de pleurer.

TOM

A quel propos ?

AMANDA

A propos de toi.

TOM

De moi ?

AMANDA

Elle s'imagine que tu n'es pas heureux ici.

TOM

Où a-t-elle été chercher cette idée ?

AMANDA

Là où elle va chercher toutes les autres. Il est certain que tu te conduis d'une manière bizarre. Je... je ne te critique pas, comprends-moi *bien*. Je sais que tes ambitions ne sont pas satisfaites à l'entrepôt, et que comme tout un chacun en ce bas monde... tu as dû consentir à certains sacrifices. Mais... Tom... écoute, la vie est une épreuve difficile qui exige de la... patience, du stoïcisme... des qualités de Spartiate. J'ai le cœur plein de tant de choses que je ne peux pas t'expliquer. Je ne te l'ai jamais dit, mais... *j'aimais* ton père...

TOM, *avec douceur.*

Je sais cela, maman.

AMANDA

Et toi... Quand je te vois prendre le même chemin que lui. Rentrer à des heures impossibles et... Enfin... C'est *vrai* que tu avais bu le soir où tu étais... dans cet état affreux. Laura prétend que tu as horreur de cette maison et que tu sors la nuit pour fuir cette atmosphère... Est-ce vrai, Tom ?

TOM

Non. Tu dis que tu as le cœur plein de choses que tu ne peux pas m'expliquer. C'est vrai pour moi aussi. J'ai tant de choses dans le cœur que je ne peux pas t'expliquer à *toi*. Puisqu'il en est ainsi, respectons mutuellement...

AMANDA

Mais pourquoi... pourquoi es-tu toujours si *agité,* si *instable*, Tom ? Où vas-tu la nuit ?

TOM

Mais, euh... je vais au cinéma.

AMANDA

Pourquoi es-tu toujours fourré au cinéma, Tom ?

TOM

Je vais au cinéma parce que j'aime l'aventure. L'aventure est une chose qui ne hante guère les entrepôts de chaussures, alors je vais au cinéma.

AMANDA

Mais enfin, Tom, tu vas au cinéma *beaucoup* trop *fréquemment*.

TOM

J'aime beaucoup l'aventure.

> *(Amanda paraît surprise, puis choquée. Au fur et à mesure que la discussion reprend, Tom redevient dur, excédé. Amanda reprend son attitude implorante.)*

Image à l'écran : *Navire voguant toutes voiles dehors.*

AMANDA

La plupart des jeunes gens trouvent l'aventure dans leur carrière.

TOM

Alors, c'est que la plupart des jeunes gens ne sont pas employés dans un entrepôt.

AMANDA

Le monde est plein de jeunes gens employés dans des entrepôts, des bureaux ou des usines.

TOM

Et ils trouvent tous l'aventure dans leur carrière ?

AMANDA

Ils la trouvent ou ils s'en passent. Tout le monde n'a pas la *manie* de l'aventure.

TOM

L'homme est par instinct un amant, un chasseur, un guerrier ; on n'a pas souvent l'occasion de donner libre cours à ces instincts-là, à l'entrepôt.

AMANDA

Ces instincts-là... Ne viens pas me parler d'instinct. L'instinct est une chose dont il faut se dégager. Qu'il faut laisser aux animaux. Un homme, un chrétien qui a atteint l'âge de raison ne veut pas de l'instinct.

TOM

Et qu'est-ce qu'il veut, le chrétien qui a atteint l'âge de raison, maman ?

AMANDA

Des satisfactions d'ordre supérieur, des choses du cerveau, de l'intellect. Seuls, les animaux éprouvent le besoin de satisfaire leurs instincts. Je suppose tout de même que tu as des visées un peu plus hautes que celles des singes ou des cochons.

TOM

Je crains fort que non.

AMANDA

Tu plaisantes ! Quoi qu'il en soit, ce n'est pas de cela que je voulais te parler.

TOM, *se levant.*

Je n'ai pas beaucoup de temps.

AMANDA, *lui mettant les mains sur les épaules et le forçant à se rasseoir.*

Assieds-toi.

TOM

Tu tiens à ce que je pointe en retard à l'entrepôt, maman ?

AMANDA

Tu as cinq minutes. J'ai à te parler au sujet de Laura.

Sous-titre à l'écran : *Dresser des plans.*

TOM

C'est bon, qu'as-tu à me dire au sujet de Laura ?

AMANDA

Il faut dresser des plans pour son avenir. Elle est ton aînée de deux ans, et elle en est toujours au même point. Elle traîne à ne rien faire. Elle se laisse aller à la dérive. C'est affreux pour moi de la voir se laisser aller à la dérive.

TOM

Pour les gens, j'imagine qu'elle doit représenter le type de la « jeune fille d'intérieur » ...

AMANDA

Ce type, comme tu le dis si bien, n'existe pas ! Et s'il existe, c'est bien dommage. A moins que l'intérieur ne soit le sien, avec un mari.

TOM, *sidéré.*

Quoi ?

50

Oh, je le vois écrit en toutes lettres sur le mur, aussi nettement que mon nez au milieu de ma figure. C'est terrifiant ! De plus en plus tu me rappelles ton père ! Toujours dehors, sans jamais donner d'explication. Et puis un jour, pfftt ! *parti*. *Adieu*. Et moi je reste en plan, avec tout sur le dos. J'ai vu la lettre que tu as reçue de la marine marchande. Je sais à quoi tu rêves. Ne t'imagine pas que j'ai un bandeau sur les yeux. A ta guise. *Fais-le*, puisque c'est ton idée. Mais seulement quand il y aura quelqu'un ici pour te remplacer.

TOM

Que veux-tu dire ?

AMANDA

Je veux dire ceci : dès que ta sœur aura quelqu'un capable de prendre soin d'elle, dès qu'elle sera mariée, indépendante, qu'elle aura un foyer, alors tu seras libre d'aller où cela te chantera, sur terre, sur mer, comme le vent te poussera. Mais en attendant, tu te dois de veiller sur ta sœur. Je n'ai pas dit *sur moi* : je suis vieille et je ne compte pas. J'ai dit sur ta sœur, parce qu'elle est jeune et qu'elle a besoin d'un soutien. Je l'avais envoyée à l'école commerciale — un échec abominable ! Elle est tellement impressionnable qu'elle a vomi devant tout le monde. Je l'ai emmenée à la Ligue de la Jeunesse, à l'église : encore un fiasco. Elle ne parlait à personne et personne ne lui parlait. Et maintenant elle passe son temps à tripoter ces bouts de verre et à écouter ces vieux disques ébréchés. Est-ce là une vie pour une jeune fille, dis-moi ?

TOM

Que veux-tu que j'y fasse ?

AMANDA

Surmonter ton égoïsme. Toi, toi, toi, tu ne penses qu'à toi !

(Tom se lève d'un bond, et va chercher son pardessus. C'est un vêtement complètement informe et encombrant. Il enfonce sur sa tête une casquette à oreillettes.) Mets ton cache-nez. *(D'un geste irrité, il sort de l'armoire son cache-nez, l'entortille autour de son cou et serre violemment.)* Tom, je ne t'ai pas encore dit ce que j'avais à te demander.

TOM

Cette fois, je suis *définitivement* en retard !

AMANDA

A cet entrepôt où tu travailles, il n'y aurait pas un gentil garçon... quelqu'un que tu connaisses ?

TOM

Non !

AMANDA

Il doit bien y en avoir, tout de même ?

TOM

Maman !

AMANDA

Trouves-en un... un garçon agréable, très comme il faut, qui ne boive pas. Invite-le... pour ta sœur !

TOM

Quoi ?

AMANDA

Pour ta sœur... qu'ils puissent se rencontrer... faire connaissance...

Ah ! non, tu sais...

AMANDA

Tu le feras, tu le feras, dis-moi que tu le feras. Tu le feras, n'est-ce pas, mon petit ?

TOM

C'est bon !

(Il sort. Coup de téléphone.)

AMANDA

Hélène Cartwright ? Amanda Gordon à l'appareil ! Comment allez-vous, ma chère ? Et votre foie ? Oh, quelle horreur ! Vous êtes une martyre ! Mais si... mais si... Une martyre chrétienne, vraiment. Il n'y a pas d'autre mot... Voilà. Je viens à l'instant de m'apercevoir, en consultant mon petit carnet rouge, que votre abonnement au *Compagnon de la femme au foyer* venait d'expirer. Or, je me suis dit que vous ne voudriez certainement pas manquer le feuilleton sensationnel qui commence dans le prochain numéro. Oui... C'est de Betsy Mac Alister. Son premier roman depuis *Lune de miel*. C'était une histoire intéressante, captivante, n'est-ce pas ? Eh bien, celui-ci est encore plus adorable si possible. Tout le roman baigne dans une atmosphère mondaine raffinée. L'histoire se passe dans une grande propriété de Long Island...

SCÈNE V

Sous-titre à l'écran : *L'Annonciation.*

Fondu en musique.

> *(C'est le début du crépuscule, par un soir de printemps. Dans l'appartement des Gordon,*

*le dîner vient de prendre fin. Amanda et
Laura, toutes deux vêtues de clair, sont en
train de desservir la table, à l'arrière-plan,
dans l'ombre. Leurs gestes sont rythmés
comme une danse ; ce sont deux pâles sil-
houettes qui s'agitent sans bruit comme des
papillons. Tom, en chemise blanche et en pantalon, se lève de table et se dirige vers l'escalier de secours.)*

AMANDA, *interpelle Tom au passage.*

Fiston, veux-tu me faire plaisir ?

TOM

Quoi ?

AMANDA

Donne-toi un coup de peigne. Tu es si joli garçon quand
tu es bien peigné. (*Tom s'affale sur le sofa, un journal
du soir à la main. On distingue le titre en caractères
énormes : LES POURPARLERS PIÉTINENT.*) Il n'y a
qu'un seul côté par lequel j'aimerais te voir ressembler à
ton père.

TOM

Et quel est-il ?

AMANDA

Le soin méticuleux qu'il prenait de sa personne. Jamais
il n'avait l'air débraillé.

*(Exaspéré, il jette son journal et gagne le
palier de l'escalier de secours.)* Où vas-tu ?

TOM

Je vais fumer une cigarette.

Tu fumes trop. Un paquet par jour à vingt cents le paquet. Cela fait combien par mois, Tom ? Calcule et tu seras stupéfait en voyant ce que tu pourrais économiser. Assez pour te payer le cours du soir à l'école de comptabilité. Pense une seconde comme cela pourrait être merveilleux, fiston !

(Cette perspective a le don de laisser Tom complètement froid.)

TOM

J'aime mieux fumer.

(Il sort sur le seuil, laissant claquer la porte grillagée.)

AMANDA, *sèchement.*

Je sais, c'est bien là le drame.

(Restée seule, elle se tourne et contemple la photographie de son mari.)

Musique de danse : *All the world is waiting for the sunrise*[1].

TOM, *au public.*

De l'autre côté de la ruelle, juste en face de chez nous, il y avait un dancing : *Le Paradis.* Par les soirées de printemps, la musique s'échappait à travers les portes et les fenêtres ouvertes. Parfois, tout s'éteignait, à part la grande boule de verre suspendue au plafond. Alors elle se mettait lentement à tourner, projetant dans la pénombre ses multiples jets aux nuances délicates de l'arc-en-ciel. Ensuite, l'orchestre jouait une rumba ou un tango, quelque chose

---

1. Le monde entier attend le lever du jour.

de langoureux, de sensuel. Des couples sortaient, cherchant la solitude... On les voyait, dans l'intimité relative de la ruelle, s'embrasser derrière les poteaux télégraphiques. C'était une compensation pour toutes ces existences semblables à la mienne qui se déroulaient, sans imprévu, sans aventures, dans un morne défilé de jours. Pourtant l'aventure et l'imprévu étaient imminents. Ils guettaient toute cette belle jeunesse au tournant. Dans ces vies trop uniformes, l'uniforme allait bientôt mettre sa note guillerette.

En attendant, il y avait le jazz, le swing, l'alcool, les dancings, le cinéma et les sens, pour éclairer de leurs brèves et décevantes lueurs la brume sinistre qui noyait le monde.

> *(Amanda se détourne de la photo et sort à son tour.)*

AMANDA, *avec un soupir.*

Un palier d'escalier de secours, ce n'est pas bien reluisant comme perron. (*Elle étale un journal sur une des marches avec une grâce affectée, comme si elle s'installait sur un confortable hamac, sous le porche à colonnes d'une propriété du Mississippi.*) Qu'est-ce que tu regardes ?

TOM

La lune.

AMANDA

On la voit, ce soir ?

TOM

Elle se lève au-dessus de la crémerie Garfunkel.

AMANDA

C'est ma foi vrai. Le croissant d'argent. As-tu fait un vœu ?

TOM

Un... hum !

AMANDA

Peut-on savoir ?

TOM

C'est un secret.

AMANDA

Tiens, tiens, un secret ? Eh bien, je ne te dirai pas le mien. Puisque tu veux faire des cachotteries, j'en ferai aussi.

TOM

Je parie que je n'aurais pas de mal à le deviner, ton secret.

AMANDA

J'ai donc la tête si transparente ?

TOM

Tu n'as rien d'un sphinx.

AMANDA

Eh bien, non, je n'ai pas de secret. Je vais te dire ce que j'ai souhaité : la réussite et le bonheur pour mes enfants chéris. Je fais ce vœu à chaque nouvelle lune, et quand il n'y a pas de nouvelle lune, je le fais quand même.

TOM

Je me disais que tu souhaitais peut-être aussi... une visite ?

AMANDA

Comment ?

TOM

Tu ne te rappelles pas m'avoir demandé d'amener quelqu'un ?

AMANDA

Je me rappelle avoir dit que ce serait agréable pour ta sœur si tu invitais un jeune homme de l'entrepôt, quelqu'un de bien, à venir à la maison. Je crois te l'avoir suggéré plus d'une fois.

TOM

Mainte et mainte fois.

AMANDA

Et alors ?

TOM

Il va en venir un.

AMANDA

Quoi ?

TOM

Un aspirant-soupirant. Un galant, si tu préfères.

> *(Cette annonce est ponctuée par l'orchestre. Amanda se lève.)*

Image à l'écran : *Soupirant au bouquet.*

AMANDA

Tu as invité un jeune homme comme il faut à venir chez nous ?

TOM

Tout juste. Je l'ai même invité à dîner.

AMANDA

C'est vrai ?

TOM

Parfaitement.

AMANDA

Ah ! Et il a accepté ?

TOM

Parfaitement.

AMANDA

Eh bien ! eh bien ! voilà qui est charmant ! Voilà qui est merveilleux !

TOM

J'ai pensé que cela te ferait plaisir.

AMANDA

Alors c'est sûr, c'est définitif ?

TOM

Tout à fait.

AMANDA

Bientôt ?

TOM

Très bientôt.

AMANDA

Pour l'amour du Ciel, cesse de faire des mystères et explique-toi.

TOM

Qu'est-ce que tu veux que je te dise ?

AMANDA

Cette question !... Je voudrais que tu me dises *quand* il doit venir.

TOM

Il doit venir demain.

AMANDA

Demain ?

TOM

Ouais, demain.

AMANDA

Mais, voyons, Tom !

TOM

Qu'est-ce qu'il y a, maman ?

AMANDA

Demain, c'est trop précipité, ça ne me laisse pas le temps...

TOM

Le temps de quoi ?

AMANDA

De tout préparer. Pourquoi ne m'as-tu pas téléphoné tout de suite ? Dès qu'il a accepté ? A ce moment-là, comprends-tu, j'aurais pu faire le nécessaire.

TOM

Pas la peine de se mettre en frais, tu sais.

AMANDA

Tom, Tom, Tom ! Bien sûr, que je dois me mettre en frais ! Je tiens à faire bien les choses, pas n'importe comment, pas à la va-comme-je-te-pousse. C'est le moment ou jamais de faire appel aux ressources de mon imagination, tu ne crois pas ?

TOM

Je ne vois pas la nécessité de te mettre la cervelle à l'envers.

AMANDA

Mais tu ne comprends rien ! On ne reçoit pas un monsieur dans une étable à cochons. Il va falloir nettoyer toute l'argenterie que j'ai reçue en cadeau de mariage, envoyer tout le linge brodé au blanchissage. Laver les fenêtres et changer les rideaux. Et nous, il faut que nous ayons quelque chose à nous *mettre*, enfin tout de même !

TOM

Maman, ce n'est pas le genre de garçon pour qui il soit utile de faire tant de cérémonies.

AMANDA

Te rends-tu compte que c'est le premier jeune homme que nous présentons à ta sœur ? C'est affreux, inconcevable, abominable ! Penser que ta pauvre sœurette n'a jamais reçu un seul galant ! Tom, rentre...

(Elle ouvre la porte grillagée.)

TOM

Pour quoi faire ?

AMANDA

J'ai des choses à te demander.

TOM

Si tu dois faire tant d'histoires, j'y renonce. Je lui dis de ne pas venir.

AMANDA

Je te le défends bien ! Il n'y a rien qui offense plus les gens que de se voir décommandés. Il ne me reste plus qu'à travailler comme un *nègre*. C'est la seule solution. Nous ne serons pas éblouissants, mais nous serons présentables. Allons, rentre. (*Tom la suit en maugréant.*) Assieds-toi.

TOM

Tu as une préférence en ce qui concerne l'endroit où je dois m'asseoir ?

AMANDA

Grâce au Ciel, nous avons ce divan qui est tout neuf, et puis j'ai fait le premier versement pour le lampadaire qu'on va m'envoyer, et je mettrai la cretonne sur le lit, cela fera plus gai. Évidemment, j'avais espéré pouvoir faire retapisser les murs... Comment s'appelle-t-il, ce jeune homme ?

TOM

Il s'appelle O'Connor.

AMANDA

Autrement dit irlandais, catholique, et poisson le vendredi. Eh bien, nous lui ferons les « croquettes de saumon, sauce tomate », ma spécialité. Qu'est-ce qu'il fait ? Il travaille à l'entrepôt ?

TOM

Bien entendu, sans cela, je ne...

AMANDA

Dis-moi, Tom, il ne boit pas ?

TOM

Pourquoi me poses-tu cette question ?

AMANDA

Ton père buvait...

TOM

Je t'en prie, ne recommence pas l'antienne.

AMANDA

Donc *il boit*.

TOM

Pas que je sache.

AMANDA

Renseigne-toi. Tâche d'en avoir la certitude. Je ne veux à aucun prix d'un ivrogne comme gendre.

TOM

Tu ne crois pas que ce soit là des considérations un peu prématurées ? M. O'Connor n'a pas encore fait son entrée en scène.

AMANDA

Mais il la fera demain pour rencontrer ta sœur, et que sais-je de lui ? Rien. Mieux vaut rester vieille fille que d'épouser un alcoolique.

TOM

Oh, miséricorde !

AMANDA

Cesse de t'agiter.

TOM, *se penche en avant pour murmurer.*

Il y a des tas de jeunes gens qui font la connaissance d'un tas de jeunes filles et qui ne les épousent pas pour cela.

AMANDA

Oh ! ne dis pas de bêtises, Tom... et ne prends pas ce ton sarcastique.

(Elle s'est emparée d'une brosse à cheveux.)

TOM

Qu'est-ce que tu fais ?

AMANDA

Je tâche de rabattre ton épi. Et quelle est la situation de ce jeune homme à l'entrepôt ?

TOM, *se soumettant avec une morne résignation au supplice de la brosse et de l'interrogatoire.*

La situation de ce jeune homme est celle d'un manutentionnaire, maman.

AMANDA

Voilà un emploi qui me semble comporter un certain nombre de responsabilités ; le genre de poste que tu aurais, toi, si tu avais un peu plus *d'allant*. Quels sont ses appointements ? As-tu une idée ?

TOM

J'estime qu'ils doivent s'élever approximativement à quatre-vingt-cinq dollars par mois.

AMANDA

Évidemment, ce n'est pas princier, mais c'est...

TOM

Vingt dollars de plus que moi.

AMANDA

Hélas ! Je ne le sais que trop. Mais pour un père de famille, quatre-vingt-cinq dollars par mois, ce n'est guère plus que le strict minimum lorsque...

TOM

Oui, mais M. O'Connor n'est pas père de famille.

AMANDA

Il pourrait le devenir, tu ne crois pas ? Dans un proche avenir.

TOM

Ah, je vois. Toujours les projets en question...

AMANDA

De tous les jeunes gens de ma connaissance, tu es le seul à ne pas savoir que l'avenir devient présent, le présent passé et le passé l'objet de remords éternels lorsqu'on n'a pas su le prévoir ni le préparer.

TOM

Je vais méditer là-dessus et voir si je peux y démêler quelque chose.

AMANDA

Ne prends pas cet air supérieur avec ta mère. Dis-moi encore... comment s'appelle-t-il, déjà ?

TOM

James P. O'Connor. P. pour Patrick.

AMANDA

Irlandais de père et de mère. Doux Jésus ! Et il ne boit pas ?

TOM

Tu veux que je lui passe un coup de fil pour lui poser la question ?

AMANDA

Mais non ! La seule manière de se renseigner, c'est de se livrer à quelques petites enquêtes discrètes au moment opportun. Quand j'étais jeune fille, à Roche-Bleue, et qu'on soupçonnait un jeune homme de s'adonner à la boisson, la jeune fille qui avait jeté son dévolu sur lui (lorsque le cas se présentait, s'entend) s'adressait parfois au pasteur de l'église qu'il fréquentait, ou plutôt son père faisait cette démarche, en admettant que son père fût en vie, et le sondait en quelque sorte au sujet de la conduite du jeune homme. Voilà la manière d'arranger les choses avec tact et discrétion lorsqu'on veut éviter à une jeune fille une erreur tragique.

TOM

Alors, comment se fait-il que tu aies commis une erreur tragique, toi ?

AMANDA

C'est le regard innocent de ton père qui a roulé tout le monde. Il *souriait* et l'univers devenait un *enchantement*.

Le pire qui puisse arriver à une jeune fille, c'est de se livrer pieds et poings liés à la merci d'une belle prestance. J'espère que M. O'Connor n'est pas trop joli garçon ?

TOM

Non, il n'est pas trop joli garçon. Il est couvert de taches de son, et il a le nez un peu... camus.

AMANDA

Il n'est quand même pas franchement laid ?

TOM

Non, il n'est pas franchement laid. Il est simplement un petit peu laid.

AMANDA

Ce qui compte chez un homme, ce sont les qualités morales.

TOM

C'est ce que j'ai toujours dit, maman.

AMANDA

Tu n'as jamais rien dit de semblable, et je te soupçonne fort de ne t'être jamais préoccupé de la question.

TOM

Ne recommence pas à me soupçonner.

AMANDA

J'espère tout au moins qu'il est du genre actif, entreprenant.

TOM

Je crois que c'est un adepte convaincu du perfectionnement à tous les âges.

AMANDA

Qu'est-ce qui te le fait croire ?

TOM

Il suit les cours du soir.

AMANDA

Magnifique ! Qu'est-ce qu'il fait ?... Qu'est-ce qu'il étudie, je veux dire ?

TOM

La technique radiophonique, et l'art oratoire.

AMANDA

C'est donc qu'il vise à développer ses dons et à faire son chemin dans le monde. Un jeune homme qui suit les cours d'éloquence se destine à une carrière de chef. Et la technique radiophonique ? Voilà une chose d'avenir. Tout cela est éminemment édifiant. Ce sont de ces choses qu'une mère doit savoir au sujet de l'homme qui fréquente sa fille, qu'il ait des intentions... ou non.

TOM

Un petit avertissement en passant. Il n'est pas au courant, à propos de Laura. Je n'ai pas cru bon de lui dévoiler les ténébreux projets que nous nourrissons à son égard. J'ai simplement dit : « Viens donc dîner à la maison. » Il a répondu : « Ça colle » et la conversation en est restée là.

AMANDA

Je n'ai pas de peine à le croire. Tu es à peu près aussi éloquent qu'une huître. Quoi qu'il en soit, il *apprendra* l'existence de Laura dès qu'il arrivera. Et quand il verra combien elle est charmante, adorable et jolie, il remerciera sa bonne étoile d'avoir été invité à dîner dans cette maison.

TOM

Maman, il ne faut pas trop espérer de ce côté.

AMANDA

Comment ?

TOM

Laura est tout ce que tu viens de dire, pour toi et pour moi, parce qu'elle fait partie de nous-mêmes et qu'elle nous est chère. Nous ne nous rendons même plus compte qu'elle est infirme.

AMANDA

Ne dis pas infirme. Tu sais très bien que je n'admets pas qu'on prononce ce mot devant moi.

TOM

Mais il faut voir les choses comme elles sont, maman. Elle est cela et... ce n'est pas tout.

AMANDA

Qu'entends-tu par : « ce n'est pas tout » ?

TOM

Laura est très différente des autres jeunes filles.

AMANDA

J'estime que la différence est tout à son avantage.

TOM

Oui, mais les autres — les étrangers — ne la voient peut-être pas comme toi ; elle est affreusement timide, elle vit dans un monde à part... ce sont des choses qui la font paraître un peu bizarre aux gens du dehors.

AMANDA

Ne dis pas « bizarre ».

TOM

Rends-toi à l'évidence. Elle l'est.

> *(La musique change et devient un tango, joué sur un ton mineur, où l'on sent comme un sinistre présage.)*

AMANDA

Et peut-on savoir ce qu'elle a de bizarre ?

TOM

Elle se cantonne dans un univers à elle — un monde de... petits bibelots de verre, maman... (*Il se lève, Amanda reste figée, la brosse à cheveux à la main, le regardant d'un air troublé.*) Elle écoute ces vieux disques usés, et c'est à peu près tout. (*Il se regarde furtivement dans la glace et gagne la porte.*)

AMANDA, *vivement.*

Où vas-tu ?

TOM

Je vais au cinéma.

AMANDA

Pas tous les soirs ! (*Elle court vers la porte.*) Je ne peux pas croire que tu ailles sans arrêt au cinéma.

> *(Tom est parti. Amanda le suit un moment du regard avec une expression inquiète, troublée. Puis sa vitalité et son optimisme reprennent le*

*dessus et elle rentre dans la pièce. S'avançant
jusqu'aux portières.)*

AMANDA

Laura ! Laura !

LAURA, *de la cuisine.*

Oui, maman.

AMANDA

Laisse la vaisselle et viens ici. (*Laura apparaît, un tor-
chon à la main. Amanda, gaiement.*) Laura, viens faire un
vœu à l'occasion de la nouvelle lune.

Image à l'écran : *La lune.*

LAURA, *s'avançant dans la pièce.*

La lune... la lune ?

AMANDA

Un petit croissant de lune, comme une sandale d'argent.
Regarde-la par-dessus ton épaule gauche, Laura, et fais un
vœu. (*Laura a une expression légèrement intriguée comme
si on venait de la tirer du sommeil. Amanda l'attrape par
les épaules et la fait pivoter sur le seuil.*) Voilà. Et maintenant ma chérie, *formule un souhait.*

LAURA

Que dois-je souhaiter, maman ?

AMANDA, *d'une voix tremblante d'émotion,
les yeux subitement remplis de larmes.*

Le bonheur... la chance.

(Le violon se fait entendre et l'éclairage de la scène diminue graduellement.)

RIDEAU

SCÈNE VI

Image à l'écran : *Le héros du collège.*

TOM

J'amenai donc Jim à dîner, le lendemain soir. Je l'avais un peu connu à l'école. Là-bas, Jim faisait figure de héros. Il avait une nature très expansive, ce dynamisme caractéristique des Irlandais, l'aspect ouvert, net, brillant et sans mystère de la porcelaine neuve. Il avait toujours l'air de se mouvoir sous le feu des projecteurs. Il était vedette du basket-ball, président du Club d'éloquence, capitaine de la classe des Seniors, chef de la chorale, et il tenait les premiers rôles dans l'opéra-comique que l'on jouait chaque année avant les vacances. Il était toujours en train de galoper. Personne ne l'a jamais vu marcher d'un pas normal. Sa façon de se mouvoir était un perpétuel défi aux lois de la pesanteur. Comme un météore, il traversait l'adolescence avec une vélocité telle qu'on s'attendait à le voir accéder pour le moins à la présidence des États-Unis avant d'avoir atteint la trentaine. Mais il semble que Jim ait eu à affronter certaines difficultés après avoir conquis ses diplômes. Il était légèrement en perte de vitesse. Six ans après avoir quitté l'école, il occupait un emploi guère plus reluisant que le mien.

Image à l'écran : *employé.*

Il était le seul de l'entrepôt avec qui j'eusse des relations amicales. Je lui étais précieux comme ancien condisciple et surtout comme témoin de sa gloire passée. Il connaissait la secrète manie que j'avais de m'isoler dans un compartiment des lavabos de l'entrepôt pour travailler à mes poèmes, pendant les heures creuses. Il m'appelait Shakespeare. Et tandis que les autres me considéraient avec une hostilité soupçonneuse, Jim faisait preuve dans ses rapports avec moi d'une malice bon enfant. Son attitude finit par influencer les autres ; leur hostilité s'effaça graduellement et ils commencèrent à me faire des sourires comme on sourit en voyant passer au loin un caniche tondu de façon singulière. Je savais que Jim et Laura s'étaient connus au collège et j'avais entendu Laura parler avec admiration de sa belle voix. J'ignorais si Jim se souvenait ou non de Laura. Autant Jim avait fait sensation au collège, autant Laura y était passée inaperçue. S'il se la rappelait le moins du monde, ce n'était pas en tant que ma sœur, car lorsque je l'invitai à dîner, il me dit en riant : « Tu sais quoi, Shakespeare ? Jamais je n'aurais cru que tu avais une famille. » Il n'allait pas tarder à savoir à quel point il se trompait.

(Le fond de la scène s'éclaire.)

Sous-titre à l'écran : *Un pas qui s'approche.*

(Vendredi. Il est six heures ; par une soirée de printemps, tendre comme un poème qui éparpille au ciel ses rimes. L'appartement des Gordon est inondé d'une douce lueur orangée. Amanda a travaillé « comme un nègre » afin que tout soit prêt pour la visite du jeune homme attendu ; le résultat est ahurissant. Le nouveau lampadaire avec son abat-jour de satin rose est en place ; au plafond, un lampion de couleur dissimule l'appareil d'éclairage cassé ; des rideaux blancs, neufs, bouffants, ornent les fenêtres ; on a recouvert le divan et les chaises de housses de chintz ; deux coussins neufs sur le divan sont étrennés pour la circonstance. Par terre, un fouillis de cartons ouverts et de papier de soie. Laura est debout au milieu de la pièce, les bras en l'air, tandis que sa mère lui coud l'ourlet de sa robe neuve avec des gestes rituels et précautionneux. C'est une robe de couleur qu'Amanda a faite d'après ses souvenirs. Laura

inaugure une nouvelle coiffure, plus douce et plus seyante,
qui lui donne une beauté fragile : elle est semblable à un
morceau de verre translucide, caressé par la lumière, et qui
en reçoit un éclat fugitif, artificiel.)

AMANDA

Pourquoi trembles-tu ?

LAURA

Tu m'as bouleversée à un tel point, maman !

AMANDA

Je t'ai bouleversée ? Comment cela ?

LAURA

Avec tout ce remue-ménage. Tu t'arranges pour que cela
prenne tellement d'importance...

AMANDA

Je ne te comprends pas, Laura. Tu n'as pas l'air satisfaite
de rester tranquillement à la maison, et cependant chaque fois
que j'essaie d'arranger quelque chose d'agréable pour toi, on
dirait que cela t'indispose. (*Elle se lève.*) Et maintenant,
regarde-toi. Non, attends, un petit instant, j'ai une idée.

LAURA

Qu'y a-t-il encore ? (*Amanda exhibe deux houppettes*
qu'elle enveloppe dans des mouchoirs et qu'elle fourre
sous la blouse de Laura.) Maman, qu'est-ce que tu fais ?

AMANDA

On appelle ça des « Petits Fripons ».

LAURA

Je ne veux pas mettre ça !

AMANDA

Tu les mettras.

LAURA

Pourquoi ?

AMANDA

Parce que, au risque de te peiner, je dois honnêtement te dire que tu as la poitrine plate.

LAURA

A te voir, on dirait que nous sommes en train de tendre un piège.

AMANDA

Toutes les jolies filles sont des pièges, de jolis pièges, et c'est ce que les hommes aiment en elles.

Sous-titre à l'écran : *Jolis pièges.*

Et maintenant, regardez-vous, mademoiselle ; jamais vous ne serez plus jolie. A présent, il faut que j'aille m'arranger. Tu vas être surprise en voyant l'allure de ta mère.

> (*Elle traverse les rideaux et passe dans l'autre pièce en chantonnant gaiement. Lentement, Laura s'avance vers le grand miroir, se plante devant et reste un moment à considérer gravement son image. On entend le faible et douloureux soupir du vent qui pousse les rideaux blancs vers l'intérieur, dans une lente ondulation.*)

AMANDA, *en coulisse.*

Il ne fait pas encore assez sombre.

(Elle tourne sur elle-même devant le miroir, se regarde, perplexe.)

Sous-titre à l'écran :
Je vous présente ma sœur : attaquez, les violons !

Musique

AMANDA, *on l'entend rire en coulisse.*

Tu vas voir quelque chose. Je vais faire une entrée spectaculaire.

LAURA

Qu'est-ce que c'est, maman ?

AMANDA

Arme-toi de patience, tu vas voir. Quelque chose que j'ai récupéré de cette vieille malle, que j'ai ressuscité, je puis dire. La mode n'a pas tellement changé, après tout. *(Elle écarte les portières.)* Regarde ta mère, mon enfant. *(Amanda porte une robe de très jeune fille en voile jaune pâle avec une ceinture bleue et tient à la main un bouquet de jonquilles. C'est toute sa jeunesse reconstituée. Fébrilement.)* C'est dans cette robe que je conduisais le cotillon... et que j'ai gagné deux fois le concours de one-step à Sunset Hill. Et par un soir de printemps, je l'ai portée au bal du gouverneur à Jacksonville. Oh, Laura, si tu m'avais vue polker à travers la salle de bal ! *(Elle soulève sa jupe et se met à esquisser en minaudant quelques entrechats.)* Je la portais le dimanche pour recevoir mes galants. Je l'avais le jour où j'ai fait la connaissance de ton père. Tout ce printemps-là, je souffrais d'un accès de paludisme : le changement de climat du Tennessee au delta du Mississippi m'avait affaiblie. J'avais toujours un peu de fièvre, pas suffisamment pour que cela fût inquiétant, mais juste assez pour m'étourdir agréablement. Les invitations pleuvaient de partout, réception sur réception, dans tout le delta. « Reste au lit, me disait maman, tu as de la température. » Mais je ne voulais à aucun prix ! Je prenais de la quinine et je menais un train d'enfer. Le soir, la danse. L'après-midi, de longues, longues promenades, et les pique-niques, exquis, et cette région au mois de mai, exquise, avec son lacis d'arbustes, littéralement inondée de jonquilles. C'est ce printemps-là que j'ai été prise d'une folle passion pour les jonquilles. C'était devenu une véritable obsession. Maman me disait : « Il n'y a plus de place pour les jonquilles, ma chérie », et je continuais quand même à rapporter des jonquilles. Chaque fois que j'en apercevais, je criais : « Arrêtez, arrêtez, je vois des jonquilles ! », et j'obligeais les jeunes gens à m'aider à les cueillir. C'était devenu une plaisanterie, Amanda et ses jonquilles. Finalement, il ne restait plus un seul vase pour les mettre, tous les récipients disponibles dans la maison étaient remplis de jonquilles. Plus de vase ! Qu'à cela ne tienne, je les garderai à la main. C'est alors que (*Elle s'arrête devant la photographie. Musique.*) j'ai fait la connaissance de ton père. Le paludisme, les jonquilles, et ensuite — ce garçon... (*Elle allume la lampe à abat-jour rose.*) J'espère qu'ils vont arriver avant qu'il se mette à pleuvoir. (*Elle passe à l'arrière-plan, et met les jonquilles dans un vase, sur la table.*) J'ai donné un peu de monnaie à ton frère pour qu'il prenne le service spécial d'autobus, avec M. O'Connor.

LAURA, *le regard changé.*

Comment dis-tu qu'il s'appelle ?

AMANDA

O'Connor.

LAURA

Mais quel est son prénom ?

AMANDA

Je ne me rappelle pas. Ah si, au fait. C'est... Jim.

77

(Laura vacille légèrement et se retient à un fauteuil.)

Sous-titre à l'écran : *Pas Jim.*

LAURA, *d'une voix éteinte.*

Pas... Jim ?

AMANDA

Si, c'est bien cela, c'est Jim. Je n'ai jamais rencontré un seul Jim qui n'ait été un charmant garçon.

Musique : sinistre.

LAURA

Tu es bien sûre qu'il s'appelle O'Connor ?

AMANDA

Oui. Pourquoi ?

LAURA

Est-ce le même que Tom connaissait au collège ?

AMANDA

Il ne m'en a rien dit. J'ai l'impression qu'il l'a tout simplement connu à son travail.

LAURA

Il y avait à l'école un de nos camarades, à Tom et à moi, qui s'appelait Jim O'Connor. (*Puis, avec effort.*) Si c'est lui que Tom amène à dîner, vous m'excuserez, mais je ne viendrai pas à table.

AMANDA

En voilà des sottises !

LAURA

Tu m'as demandé un jour s'il m'était arrivé d'être attirée par quelqu'un. Tu ne te souviens pas ? Je t'avais fait voir une photo.

AMANDA

Tu veux dire ce jeune homme que tu m'avais montré dans l'annuaire du collège ?

LAURA

Oui, c'est lui.

AMANDA

Laura, Laura, tu l'aimais ?

LAURA

Je ne sais pas, maman. Je ne sais qu'une chose, c'est que je ne pourrai pas m'asseoir à table, si c'est lui.

AMANDA

Ce ne sera pas lui. C'est une éventualité extrêmement improbable. Mais que ce soit lui ou non, tu te mettras à table comme tout le monde. Je ne t'en dispense pas.

LAURA

Il le faudra pourtant, maman.

AMANDA

Je n'ai nullement l'intention d'encourager ces bêtises, Laura. J'en ai déjà trop subi, aussi bien de ta part que de celle de ton frère. Alors assieds-toi et compose-toi un visage en les attendant. Tom a oublié sa clef, il faudra donc que tu ailles leur ouvrir quand ils arriveront.

LAURA, *prise de panique.*

Oh, maman, ouvre-leur, toi !

AMANDA, *insouciante.*

Je serai occupée à la cuisine.

LAURA

Oh, maman, je t'en supplie, ouvre-leur la porte, ne me force pas à y aller !

AMANDA, *se dirigeant vers la cuisine.*

Il faut que je finisse la sauce du saumon. Oh, bonté divine ! Que d'embarras, que de sottises — tout cela parce qu'un monsieur nous rend visite !

(La porte se referme ; Laura reste seule.)

Sous-titre à l'écran : *L'épouvante.*

(Elle pousse un sourd gémissement, éteint la lampe et s'assied avec raideur au bord du divan, crispant ses mains croisées.)

Sous-titre à l'écran : *L'ouverture d'une porte.*

(Tom et Jim font leur apparition sur l'escalier de secours et arrivent au palier. En les entendant, Laura se lève avec un geste de frayeur et va se retirer près de la portière. On sonne. Laura sursaute et porte les mains à sa gorge. Faible roulement de tambour.)

AMANDA, *criant.*

Laura, ma chérie, la porte !

(Laura la fixe des yeux sans faire un mouvement.)

JIM

Je crois que nous avons évité de justesse d'être saucés.

TOM

Oui... hum !...

> (*Il sonne de nouveau, mal à l'aise. Jim sifflote
> et cherche une cigarette dans ses poches.*)

AMANDA, *avec une gaieté débordante.*

Laura, Laura. C'est ton frère et M. O'Connor. Veux-tu
les faire entrer, mon ange ?

> (*Laura gagne la porte de la cuisine.*)

LAURA, *d'une voix oppressée.*

Maman, va ouvrir. (*Amanda sort de la cuisine et considère Laura d'un regard furtif. Elle montre la porte d'un
geste impératif.*) Je t'en prie !

AMANDA, *dans un chuchotement féroce.*

Qu'est-ce qui te prend, petite sotte ?

LAURA, *avec désespoir.*

Je t'en supplie, va ouvrir, je t'en supplie !

AMANDA

Je t'ai déjà dit que j'étais décidée à ne pas tolérer tes
caprices, Laura. Pourquoi faut-il que tu choisisses cette
minute pour perdre l'esprit ?

LAURA

Je t'en prie, je t'en prie, je t'en prie, va ouvrir.

AMANDA

Il faudra que tu y ailles, parce que moi, je ne peux pas.

LAURA, *désespérée.*

Moi non plus.

AMANDA

Pourquoi donc ?

LAURA

Je suis malade.

AMANDA

Moi aussi je suis malade, malade de tes sottises ! Vous ne pouvez donc pas agir comme des êtres normaux, ton frère et toi ? Avec vos lubies insensées, votre conduite extravagante... (*Tom sonne longuement.*) Vos absurdités sans nom. Une fois pour toutes, vas-tu m'expliquer... (*A la cantonade, avec emphase.*) Voilà ! Tout de suite... pourquoi tu aurais peur d'ouvrir une porte ? Allons, va vite répondre, Laura.

LAURA

Oh, oh, oh...

> (*Elle revient aux portières, se précipite vers le gramophone, le remonte frénétiquement et le met en marche.*)

AMANDA

Laura Gordon, je t'ordonne d'aller ouvrir !

LAURA

Oui, oui, maman.

(Un vieux fox-trot nasillard et lointain adoucit suffisamment l'atmosphère pour permettre à Laura de traverser la pièce. Elle gagne la porte et l'entrouvre avec précaution. Tom entre avec Jim O'Connor, le visiteur attendu.)

TOM

Laura, je te présente Jim. Jim, ma sœur Laura.

JIM, *pénétrant dans la pièce.*

Je ne savais pas que Shakespeare avait une sœur.

LAURA, *contractée et tremblante. Elle s'écarte de la porte à reculons.*

Co... Co... Comment allez-vous ?

JIM, *lui tendant chaleureusement la main.*

Ça va. (*Laura ose à peine la lui toucher.*) Vous avez la main froide, Laura.

LAURA

Euh, oui, c'est que... euh, je faisais marcher le gramophone...

JIM

C'est sans doute parce que vous jouiez de la musique classique. Vous devriez mettre un peu de swing, ça vous réchaufferait.

LAURA

Excusez-moi, j'avais encore des disques à mettre...

(Elle se détourne d'un air embarrassé et rentre vivement dans le salon. Elle s'arrête un instant devant le gramophone. Elle prend

son souffle et disparaît derrière les portières
comme une biche effarouchée.)

JIM, *avec un large sourire.*

Qu'est-ce qu'il y avait donc ?

TOM

Oh !... avec Laura ! Elle est... affreusement timide.

JIM

Timide !... tiens, tiens ! De nos jours, c'est rare, les jeunes filles timides. Au fait, tu ne m'as jamais dit que tu avais une sœur.

TOM

Eh bien, maintenant tu le sais, j'ai une sœur. Tiens, voilà le *Times*. Tu en veux une page ?

JIM

Oui... Euh !

TOM

Laquelle ? Les comiques ?

JIM

Les sports. (*Il y jette un coup d'œil.*) Tiens, la marine a encore flanqué une tripotée à l'armée.

TOM, *indifférent.*

Ah oui ?

(Il allume une cigarette et gagne la porte
d'entrée.)

JIM

Toi aussi ? Où vas-tu ?

TOM

Sur la terrasse.

JIM, *le suit.*

Dis donc, Shakespeare ? Je vais te refiler une combine.

TOM

Quelle combine ?

JIM

Mon cours d'art oratoire.

TOM

De quoi ?

JIM

D'art oratoire. L'éloquence en vingt leçons.

TOM

L'éloquence ? Pour quoi faire ?

JIM

Ça vous prépare au rôle de chef de service.

TOM

Ohhhh !

JIM

Ça m'a été extrêmement utile, moi, j'te l'dis.

Image à l'écran : *Chef de service à son bureau.*

TOM

A quel point de vue ?

JIM

A tous les points de vue. Tu ne t'es jamais demandé ce qui nous différenciait, toi et moi, des types qui se prélassent dans les bureaux de la Direction ? L'intelligence ?... Non. La compétence ?... Non. Alors quoi ? Une simple petite chose...

TOM

Et quelle est cette simple petite chose ?

JIM

Avant tout, la prestance, qui conditionne l'évolution de l'individu au sein de la société : être capable de se montrer à la hauteur de n'importe qui et de tenir son rang dans n'importe quel milieu social.

AMANDA, *en coulisse.*

Tom !

TOM

Oui, maman ?

AMANDA

Tu es là, avec M. O'Connor ?

TOM

Oui, maman.

AMANDA

Eh bien, fais-lui les honneurs de la maison.

TOM

Oui, maman.

AMANDA

Demande à M. O'Connor s'il veut se laver les mains.

JIM

Oh non... non... merci, je les ai lavées à l'entrepôt. Tom...

TOM

Oui ?

JIM

M. Mendoza m'a parlé de toi.

TOM

Favorablement ?

JIM

Qu'est-ce que tu crois ?

TOM

Mon Dieu...

JIM

Tu vas bientôt te trouver au chômage si tu ne te réveilles pas.

TOM

Je me réveille.

JIM

Je n'en vois pas d'indices.

TOM

Les indices sont intérieurs.

Image à l'écran : *Navire voguant toutes voiles dehors.*

J'ai l'intention de changer. (*Tom, penché sur la rampe de l'escalier, parle avec un enthousiasme contenu. Son visage est éclairé par les reflets des enseignes lumineuses qui percent l'obscurité de l'impasse. Il a l'air d'un passager à bord d'un navire.*) Je vais me préparer un avenir où n'auront place ni l'entrepôt, ni M. Mendoza, ni même un **cours d'art oratoire.**

JIM

Qu'est-ce que tu radotes ?

TOM

J'en ai assez des films.

JIM

Des films ?

TOM

Parfaitement, des films. Tiens, regarde-les... (*D'un geste large, il balaie l'espace, évoquant les merveilles de l'avenue de l'illusion.*)... ces créatures enchanteresses qui accaparent l'aventure, qui gobent tout, qui s'en empiffrent jusque-là. Tu sais ce qui arrive ? Les gens vont les voir bouger au lieu de bouger eux-mêmes. Les personnages créés par Hollywood sont censés vivre l'aventure de toute l'Amérique, et pendant ce temps-là toute l'Amérique reste bien sagement assise dans une salle obscure à les regarder vivre. Oui, jusqu'à ce qu'il y ait une guerre. C'est à ce moment que l'aventure est mise à la portée des masses. Approchez, approchez, il y en aura pour tout le monde, et pas seulement pour Gary Cooper. Alors, les spectateurs sortent de la salle obscure pour vivre des aventures à leur tour... Chouette ! A nous maintenant de découvrir les îles du Pacifique, de participer à un safari géant, au diable vauvert... A nous l'exotisme ! Mais je n'ai pas de patience. Je n'ai pas envie d'attendre jusque-là, moi ! J'en ai assez du cinéma, assez de regarder les autres partir. Je veux partir, moi aussi.

JIM, *l'air incrédule.*

Partir ?

TOM

Oui.

JIM

Quand ?

TOM

Bientôt.

JIM

Mais où... où ?

>*(Le motif musical n° 3 de la partition semble répondre à sa question, pendant que Tom est occupé à réfléchir tout en fouillant dans ses poches.)*

TOM

Je commence à bouillir, là-dedans. Je sais que je dois avoir l'air d'un songe-creux, mais à l'intérieur, je bous, tu entends ? Chaque fois que je ficelle une boîte à chaussures, je frémis en songeant à la brièveté de la vie et à ce que je fais. Je ne sais pas ce que ça cache, mais ce n'est en tout cas pas des chaussures, sauf en tant qu'accessoires vestimentaires destinés à chausser les pieds d'un voyageur. (*Il trouve le papier.*) Regarde.

JIM

Quoi ?

TOM

Je suis inscrit.

JIM, *lisant.*

Syndicat de la marine marchande.

TOM

J'ai payé ma cotisation ce mois-ci, au lieu de la note d'électricité.

JIM

Tu le regretteras quand on te coupera la lumière.

TOM

Je ne serai plus là.

JIM

Et ta mère ?

TOM

Je suis comme mon père. Fi de garce d'un fi de garce. Tu vois comme il ricane ? Et ça fait dix-sept ans qu'il est parti.

JIM

Allez, allez. Tu te montes le bourrichon, petite tête ! Qu'est-ce qu'elle en pense, ta mère ?

TOM

Chut ! Voilà maman. Elle n'est pas au courant de mes projets.

AMANDA, *écarte les portières et fait son entrée.*

Où étiez-vous donc, tous ?

Sur la terrasse, maman.

> *(Tom et Jim vont pour rentrer, mais Amanda*
> *se porte à leur rencontre.*
> *Tom est manifestement choqué par la toilette*
> *de sa mère ; même Jim ne peut réprimer un*
> *petit sursaut ; c'est son premier contact avec*
> *l'exubérance méridionale, et, bien qu'il suive*
> *des cours d'éloquence, il se trouve un peu*
> *démonté par cette démonstration inattendue*
> *de mondanité. Jim essaie plusieurs fois de pla-*
> *cer un mot, mais sans succès, le bavardage et*
> *les rires couvrant tout. Tom se sent gêné,*
> *mais, passé le premier contact, Jim se remet*
> *rapidement et paraît d'excellente humeur. Il*
> *sourit, émet de petits rires approbateurs : il*
> *est conquis.)*

Image à l'écran : *Amanda, jeune fille.*

> AMANDA, *avec un sourire minaudier,*
> *secouant ses bouclettes de petite fille.*

Monsieur O'Connor, si je ne me trompe ? Eh bien, eh bien ! Présentations totalement superflues. Mon fils m'a tellement parlé de vous. A la fin, je lui ai dit : « Mais sapristi, Tom, pourquoi ne l'amènes-tu pas dîner, ce phénix ? Je serais ravie de faire la connaissance de ce charmant jeune homme de l'entrepôt. » Au lieu de l'entendre chanter vos louanges sur tous les tons ! Je ne comprends pas que mon fils soit aussi peu liant, nous autres, gens du Sud, nous sommes plus expansifs, d'ordinaire. Asseyons-nous. Au fait, vous ne trouvez pas qu'on étouffe dans cette pièce ? Tom, laisse la porte ouverte. J'ai cru sentir une petite brise rafraîchissante, tout à l'heure. Je me demande où elle est passée. Hum ! dire qu'il fait déjà si chaud. Et nous ne sommes pas encore en été. Vous allez voir que nous allons cuire littéralement, pendant les mois de canicule. Quoi qu'il en soit, je vous préviens que j'ai préparé un dîner très léger. Je trouve qu'un repas léger est plus indiqué à cette époque de l'année. De même que les vêtements légers sont plus agréables. Une nourriture légère, des vêtements légers, voilà ce qui s'impose par ces temps de chaleur. Le sang s'épaissit tellement, n'est-ce pas, pendant l'hiver, il faut un certain temps pour s'adapter aux changements de saison... Les chaleurs sont venues si prématurément, cette année. Je ne m'y attendais pas, et tout d'un coup, Grands dieux ! nous voilà en plein été. J'ai fait une incursion dans la malle et j'ai ramené au jour cette petite robe de voile... terriblement démodée. Une véritable antiquité. Mais on se sent si bien dedans, c'est si confortable, si frais, n'est-ce pas ?

TOM

Maman !

AMANDA

Oui, mon ange ?

TOM

On va... dîner bientôt ?

AMANDA

Occupe-t'en, mon ange ; va demander à sœurette si le dîner est prêt. Tu sais bien que c'est sœurette qui en a l'entière responsabilité. Dis-lui que ses deux jeunes convives meurent littéralement de faim. (*A Jim.*) Tom vous a présenté à Laura ?

JIM

Elle...

AMANDA

Elle vous a ouvert ? Ah, parfait, alors vous avez déjà fait connaissance. Il est rare de trouver autant de vertus domestiques chez une jeune fille aussi charmante et aussi jolie que Laura, n'est-ce pas ? Grâce à Dieu, Laura est non seulement jolie, mais ce ne sont pas les vertus domestiques qui lui manquent. C'est le type même de la femme d'intérieur. Moi, pas du tout. Je n'ai jamais été capable de faire autre chose que du pain de Gênes. Il est vrai que là-bas, dans le Sud, nous avions tellement de personnel — un si grand train de maison, n'est-ce pas ? Évanoui, tout cela — fumée, fumée, fumée. Vestiges d'une vie élégante, il n'en reste plus rien. Je n'étais pas faite pour l'existence que le Destin m'a réservée. Tous mes soupirants étaient des fils de planteurs, et naturellement j'étais persuadée que je me marierais avec l'un d'eux et que j'élèverais mes enfants dans nos vastes domaines, entourée d'une domesticité nombreuse. Mais l'homme propose... et la femme accepte la proposition, pour varier un peu le vieil adage. Bref, je n'ai pas épousé de planteur. J'ai épousé un employé de la Compagnie des Téléphones. Ce vieux gentleman qui sourit si gracieusement là-bas. (*Elle désigne la photographie.*) Oui, un téléphoniste qui est tombé amoureux du « Long Distance ». Maintenant, il voyage, je ne sais même pas où — mais je m'égare vraiment et je ne sais pas ce qui me pousse à m'étendre sur mes tribulations. Racontez-moi un peu les vôtres. J'espère que vous n'en avez pas à me raconter... Tom ?

TOM, *revenant.*

Oui, maman ?

AMANDA

Le dîner est bientôt prêt ?

TOM

J'ai l'impression qu'il est servi.

AMANDA

Voyons ça. (*Gamine, elle se lève, et va regarder à travers les rideaux.*) Oh, exquis. Mais où est sœurette ?

TOM

Laura ne se sent pas bien, elle pense qu'il serait préférable qu'elle ne vienne pas à table.

AMANDA

Quoi ? Quelle sottise ! Laura, hou ! hou ! Laura !

LAURA, *en coulisse, faiblement.*

Oui, maman.

AMANDA

Je t'assure qu'il faut que tu viennes à table. Nous ne nous assiérons pas tant que tu ne seras pas là. Entrez, monsieur O'Connor. Vous vous asseyez là, et moi, je... Laura ? Laura Gordon. Tu nous fais attendre, mon ange. Je ne peux pas dire le *bénédicité* sans toi.

> *(La porte du fond s'ouvre, comme poussée par une main hésitante, et Laura entre.*
> *Elle est visiblement sur le point de s'évanouir.*
> *Ses lèvres tremblent, ses yeux grands ouverts fixent le vide. Elle va en titubant vers la table.)*

> Sous-titre à l'écran : *Épouvante.*

> *(Dehors, un orage d'été éclate brusquement. Les rideaux des fenêtres s'agitent, se balancent dans la pièce. Un murmure musical, mélancolique, accompagne le jour qui tombe dans une lumière bleu nuit. Laura trébuche, elle se rattrape à une chaise en poussant un gémissement.)*

TOM

Laura !

AMANDA

Laura !

(Coup de tonnerre.)

Sous-titre à l'écran : *Ah !*

AMANDA, *désespérée.*

Ma parole, mais tu es vraiment malade, ma chérie. Tom, emmène ta sœur au salon, veux-tu, fiston ? Repose-toi dans le salon. Allonge-toi sur le divan. Eh bien !... (*Au visiteur.*) C'est d'être restée si longtemps près de la cuisinière. C'est cette chaleur insupportable, ce soir, mais... (*Tom revient. Laura est allongée sur le sofa.*) Laura se sent mieux, maintenant ?

TOM

Oui.

AMANDA

Qu'est-ce que ça peut bien être ? La pluie ? Voilà une bonne petite pluie, bien rafraîchissante, qui arrive à point. *(Elle jette un regard effrayé à son invité.)* Je crois que maintenant, nous pouvons dire... le bénédicité. (*Tom la regarde d'un air hébété.*) Tom, mon ange, dis-le, toi.

TOM

Oh !... « Pour toutes les grâces que tu nous accordes... (*Tom, Jim et Amanda inclinent la tête, mais Amanda observe Jim du coin de l'œil. Dans le salon, Laura, étendue sur le sofa, presse sa main contre ses lèvres, pour retenir un sanglot...* que ton saint Nom soit béni. »

Fondu

SCÈNE VII

UN SOUVENIR

Une demi-heure après, le dîner est presque terminé. Les portières fermées cachent la salle à manger.

Au lever du rideau, Laura est toujours sur le sofa, les jambes repliées sous elle, la tête appuyée sur le coussin bleu pâle, les yeux grands ouverts comme dans l'attente d'une révélation. L'abat-jour rose du lampadaire éclaire doucement son visage et fait ressortir sa délicate et presque supra-terrestre beauté qui passe généralement inaperçue. La pluie tombe encore, mais déjà moins fort, et elle s'arrêtera tout à fait dès les premières répliques. Au dehors, la lumière pâlit, et se ravive au lever de la lune. Un instant après que le rideau s'est levé, les lumières du salon et de la salle à manger clignotent et s'éteignent — panne de courant.

JIM

Hé là, les petites Mazda, pas de blague !

(Amanda est prise d'un rire nerveux.)

Sous-titre à l'écran : *Interruption d'un service public.*

AMANDA

Où était Moïse quand la lumière s'est éteinte ? Ah ! ah ! Devinette. Vous connaissez la réponse, monsieur O'Connor ?

JIM

Non, m'dame, qu'est-ce que c'est ?

AMANDA

Dans le noir ! (*Jim rit comme il convient.*) Que personne ne bouge. Je vais allumer les bougies. Quelle chance qu'elles soient déjà sur la table, vous ne trouvez pas ? Où sont donc les allumettes ? Allons, messieurs, l'un de vous aurait-il des allumettes ?

JIM

Voilà.

AMANDA, *minaudant.*

Merci, monsieur.

JIM

Y a pas de quoi, madame.

AMANDA

C'est le plomb qui a dû sauter. Monsieur O'Connor, savez-vous remettre un plomb ? Quant à moi, j'en suis incapable, et Tom, lui, est complètement perdu quand il s'agit de mécanique. (*Bruit de gens qui se lèvent. Voix qui vont en s'éloignant vers la cuisine.*) Oh, faites attention de ne pas buter dans quelque chose. Nous ne voulons pas que notre invité se casse les reins. Avouez que ce serait joli !

JIM

Ha ! Ha !... Où sont les plombs ?

AMANDA

Juste à côté de la cuisinière. Vous y voyez ?

JIM

Un instant.

AMANDA

Quelle chose mystérieuse que l'électricité, tout de même ! N'était-ce pas Benjamin Franklin qui avait attaché une clef à son cerf-volant ? Il y a des gens qui prétendent

97

que la science nous aide à éclaircir tous ces mystères. A mon avis, elle ne fait qu'en créer de nouveaux. Vous l'avez trouvé ?

JIM

Non m'dame. Tous ces plombs m'ont l'air en parfait état.

AMANDA

Tom !

TOM

Oui, maman ?

AMANDA

Cette note d'électricité que je t'avais remise il y a quelques jours, avec un avis de la compagnie ?...

Sous-titre à l'écran : *Aïe !*

TOM

Ah oui...

AMANDA

Tu n'as pas négligé de la régler, par hasard ?

TOM

C'est-à-dire...

AMANDA

Tu ne l'as pas payée. J'aurais dû m'en douter.

JIM

Shakespeare a dû écrire un poème sur la facture, madame Gordon.

AMANDA

Mon Dieu, ai-je été assez sotte de la lui confier ! La négligence se paie si cher en ce bas monde.

JIM

Peut-être que son poème lui rapportera un prix de dix dollars.

AMANDA

Nous allons être forcés de passer le reste de la soirée dans le dix-neuvième siècle, avant que M. Edison eût inventé l'ampoule électrique.

JIM

La lumière des bougies est mon éclairage préféré.

AMANDA

Cela prouve que vous avez un caractère romantique. Mais cela n'excuse pas Tom. Enfin, nous avons dîné, c'est toujours cela de gagné. Très aimable à eux d'attendre que nous ayons fini notre repas pour nous plonger dans les ténèbres éternelles, n'est-ce pas, monsieur O'Connor ?

JIM

Ah ! Ah !...

AMANDA

Tom, pour te punir de ta négligence, je vais t'infliger une corvée : tu vas m'aider à débarrasser.

JIM

Permettez que je vous donne un coup de main...

AMANDA

Jamais, au grand jamais !

JIM

Je devrais tout de même être bon à quelque chose.

AMANDA

Bon à quelque chose ? (*Un trémolo dans la voix.*) Vous !
Mais voyons, monsieur O'Connor, depuis des années, personne, *personne*, ne m'a autant divertie.

JIM

Oh, vous exagérez, madame Gordon.

AMANDA

Je n'exagère pas, mais pas le moins du monde. Oh ! et
sœurette qui est toute seulette. (*Elle glousse.*) Allez lui tenir
compagnie au salon. Tenez, je vais vous donner ce délicieux candélabre qui ornait autrefois l'autel de l'église du
Céleste Repos. Quand l'église a brûlé, la chaleur de l'incendie l'a un peu déformé. La foudre était tombée dessus, un
jour de printemps. Jones le Bohémien menait une campagne
pour la renaissance de la foi à cette époque et il avait insinué
que si l'église avait été détruite, c'est parce que les épisco-
paliens y organisaient des concours de cartes.

JIM

Ah ! Ah !

AMANDA

Tâchez donc de décider sœurette à prendre un doigt de
quinquina. Je crois que cela lui ferait du bien. Vous pouvez
porter les deux à la fois ?

JIM

Je comprends. Tenez : Hop ! Voilà le travail !

AMANDA

Et maintenant, Tommy, passe ce tablier.

(La porte de la cuisine se referme sur les rires d'Amanda. Une faible lueur apparaît près des portières. Laura se redresse à l'entrée de Jim. Au début, elle parle très bas, comme si elle étouffait, tant elle est émue de se trouver seule avec un étranger.)

Sous-titre à l'écran : *Vous ne devez plus vous souvenir de moi.*

(Pendant les premières répliques de cette scène, avant que la gentillesse de Jim ait vaincu sa timidité, Laura parle d'une voix faible et essoufflée comme si elle venait de monter un escalier. L'attitude de Jim est pleine de douceur, de gaîté, de gentille camaraderie. Il faut que l'on sente bien que cette scène qui, pour tout autre, serait sans importance, représente pour Laura la réalisation de ses rêves les plus secrets.)

JIM

Alors, Laura, ça va ?

LAURA, *d'une voix faible.*

Oui, merci.

JIM

Vous vous sentez mieux ?

LAURA

Oui. Beaucoup mieux, merci.

JIM

Tenez, je vous ai apporté ça. Un peu de quinquina.

LAURA

Merci.

101

JIM

Buvez-le, mais ne vous saoulez pas, hein ? (*Il s'esclaffe.*) Où faut-il poser les bougies ?

LAURA

Oh... oh, n'importe où...

JIM

Si je les mettais par terre ? Pas d'objection ?

LAURA

Non.

JIM

Je vais étaler un journal dessous pour que la cire ne coule pas sur le parquet. J'adore m'asseoir par terre. Vous permettez ?

LAURA

Je vous en prie.

JIM

Passez-moi un coussin.

LAURA

Quoi ?

JIM

Un coussin...

LAURA

Oh !...

(Elle lui en tend un précipitamment.)

JIM

Et vous ? Vous n'aimez pas vous asseoir par terre ?

LAURA

Oh !... si.

JIM

Alors pourquoi ne faites-vous pas comme moi ?

LAURA

Mais... oui.

JIM

Prenez un coussin. (*Laura s'exécute. Elle s'assied de l'autre côté du candélabre. Jim croise les jambes en tailleur, et lui adresse un sourire encourageant.*)
Vous vous êtes mise à l'autre bout du monde. C'est à peine si je vous vois.

LAURA

Moi... je vous vois.

JIM

Je sais bien, mais ce n'est pas juste, c'est moi qui suis sous les feux de la rampe. (*Laura rapproche son coussin.*) Bravo ! *Maintenant* je vous vois ! Vous êtes bien assise ?

LAURA

Oui.

JIM

Moi aussi. Comme un pape. Un bout de chewing-gum ?

LAURA

Non, merci.

JIM

Eh bien, moi, je crois que je vais me laisser tenter, avec votre permission. (*D'un air absorbé, il défait le papier qui entoure la tablette de chewing-gum et l'élève à bout de bras.*) Pensez à la fortune qu'a faite le type qui a inventé le premier morceau de chewing-gum. Insensé, hein ? L'immeuble de la Compagnie Wrigley est une des curiosités de Chicago. Je l'ai vu il y a deux ans, à l'exposition. Vous avez été y faire un tour, à l'Expo ?

LAURA

Non.

JIM

Eh bien, c'était formidable. Ce qui m'a le plus impressionné, c'est la Galerie des Sciences. Rien de tel pour vous donner une idée de l'Amérique future, un futur qui sera encore bien plus merveilleux que le présent. (*Un silence, lui souriant.*) Votre frère m'a dit que vous étiez timide. C'est vrai, Laura ?

LAURA

Je ne sais pas.

JIM

D'après moi, vous êtes une jeune fille à l'ancienne mode. C'est un compliment, vous savez. J'espère que vous ne me trouvez pas trop familier, au moins ?

LAURA, *vivement, cherchant à dissimuler son embarras.*

Après tout, je veux bien un morceau de chewing-gum, si vous le permettez. (*Se racle la gorge.*) Monsieur O'Connor, est-ce que vous... vous avez continué à cultiver votre voix ?

JIM

Ma voix ? Moi ?

LAURA

Oui. Je me souviens que vous chantiez divinement.

JIM

Quand m'avez-vous entendu chanter ?

(Voix en coulisse dans le silence.)

LA VOIX

Hardi les gars. Vire au guindeau,
Good bye, Farewell,
Good bye, Farewell,
Nous irons pêcher le cachalot,
Hourrah, oh Mexico. Oh oh oh oh oh !

JIM

Et vous dites que vous m'avez entendu chanter ?

LAURA

Oh oui... oui, très souvent... J'imagine que... vous... ne vous souvenez pas du tout... de... moi ?

JIM, *avec un sourire perplexe.*

C'est drôle, j'ai l'impression de vous avoir déjà vue quelque part. J'ai senti ça aussitôt que vous avez ouvert la porte. On aurait dit que j'étais sur le point de me rappeler votre nom. Mais le nom que j'avais sur le bout de la langue, ce n'était pas un nom, alors je me suis arrêté avant de l'avoir prononcé.

LAURA

Ce n'était pas « Bengali » ?

JIM, *se lève d'un bond avec un large sourire.*

Bengali ! Nom d'un chien ! C'est ça ! C'est ce nom-là que j'avais sur le bout de la langue quand vous avez ouvert la porte. Vous ne trouvez pas que c'est bizarre, les tours que peut jouer la mémoire ? En vous voyant, je n'ai pas fait de rapprochement avec le collège. C'est pourtant là que je vous ai connue — au collège. Je ne savais même pas que vous étiez la sœur de Shakespeare. Ça par exemple, je m'excuse !

LAURA

Je ne m'attendais pas à ce que vous le sachiez.

JIM

Mais on se parlait, n'est-ce pas ?

LAURA

Oui, nous... nous parlions.

JIM

Quand m'avez-vous reconnu ?

LAURA

Oh, tout de suite.

JIM

Aussitôt que je me suis présenté à la porte ?

LAURA

Quand j'ai entendu votre nom, j'ai pensé que c'était probablement vous. Je savais que Tom vous connaissait un peu à l'école. Alors, quand vous êtes entré, eh bien, j'en ai été sûre.

JIM

Pourquoi ne m'avez-vous rien dit, à ce moment-là ?

LAURA, oppressée.

Je ne savais pas quoi dire. J'étais trop surprise.

JIM

Ah ben, flûte alors ! Ça c'est drôle.

LAURA

Oui, n'est-ce pas ?

JIM

Nous ne suivions pas un cours ensemble ?

LAURA

Mais si.

JIM

Lequel ?

LAURA

Le chant, la chorale.

JIM

Ohhh...

LAURA

Nous étions assis face à face, tout en haut de l'amphi.

JIM

Ohhh !

LAURA

Les lundi, mercredi, vendredi.

JIM

Maintenant je me... rappelle... vous arriviez toujours en retard.

Oui, c'était si dur pour moi, les escaliers à monter. J'avais la jambe dans un appareil qui résonnait terriblement sur le plancher.

JIM

Je n'ai jamais remarqué.

LAURA, *tressaille à ce souvenir.*

Chaque pas était comme un tonnerre dans mes oreilles.

JIM

Tiens, tiens, tiens, ça ne m'avait jamais frappé.

LAURA

Tout le monde était déjà assis quand j'arrivais. J'étais obligée d'aller jusqu'au bout de l'allée devant tous les élèves. J'étais placée au dernier rang. Je devais monter tout en haut entre les travées, avec cet appareil qui faisait un bruit affreux et tous ces yeux braqués sur moi.

JIM

Vous n'aviez pas de raison d'être gênée.

LAURA

Je sais bien, mais je l'étais. C'était un tel soulagement pour moi quand la leçon de chant commençait.

JIM

Ça y est ! Je vous reconnais maintenant. Je vous appelais Bengali bien sûr, mais pourquoi je vous avais donné ce nom-là, déjà ?

LAURA

Parce que j'étais toujours intimidée, chaque fois que je devais me lever pour chanter ; je n'avais qu'un petit filet de voix. Alors vous m'avez appelée « Bengali ».

JIM

J'espère que ça ne vous ennuyait pas. Je l'entendais comme un compliment, vous savez.

LAURA

Oh, non, cela ne m'ennuyait pas... cela me faisait plaisir. Vous comprenez, je connaissais... si peu de gens...

JIM

Si j'ai bonne mémoire, vous étiez un peu sauvage...

LAURA

Chaque fois que j'avais essayé de me faire des amis, cela m'avait si mal réussi.

JIM

Je ne vois pas pourquoi.

LAURA

C'est que... je m'y prenais mal, parce que...

JIM

Vous voulez dire parce que vous êtes... ?

LAURA

Oui, vous comprenez... cela me... handicapait, en quelque sorte...

JIM

Fallait pas. Fallait surmonter ça.

LAURA

Je sais bien, mais c'était plus fort que moi, alors...

JIM

Ça vous rendait timide avec les gens.

LAURA

Je m'efforçais de me dominer, mais je ne réussissais jamais à...

JIM

Triompher de cette timidité ?

LAURA

Non, je... n'ai jamais pu...

JIM

J'ai idée que c'est une chose qu'on n'arrive à surmonter que petit à petit.

LAURA, *tristement.*

Oui... c'est sans doute... cela.

JIM

Les gens ne sont pas tellement effrayants, quand on les connaît. Voilà ce qu'il faut se dire. Et tous les gens ont leurs petits problèmes... Vous n'êtes pas la seule ; tout le monde, pour ainsi dire, en a. Vous croyez être seule à avoir des... préoccupations de ce genre, la seule à éprouver des déceptions. Mais regardez autour de vous et vous verrez des tas de gens tout aussi désillusionnés que vous. Par exemple quand j'étais étudiant, j'espérais bien que six ans après avoir quitté l'école, j'aurais fait un peu plus de chemin que je n'en ai fait. Vous vous rappelez ce magnifique papier qui est paru sur moi dans *Le Flambeau des jeunes* ?

LAURA

Oui.

(*Elle se lève et se dirige vers la table.*)

JIM

D'après l'article, j'étais un garçon plein d'avenir, destiné à réussir dans tout ce que j'entreprendrais. (*Laura revient avec l'annuaire.*) Sacré nom de... *Le Flambeau !*

(*Jim le prend comme un objet sacré. Tous deux se regardent par-dessus l'annuaire comme surpris de se trouver là. Laura s'assied près de Jim et ils feuillettent le volume, la timidité de Laura est en train de fondre.*)

LAURA

Tenez, vous voilà dans *Les Pirates de Cornouailles.*

JIM, *attendri, une pointe de regret dans la voix.*

Je tenais la partie de baryton.

LAURA, *extasiée.*

Vous aviez une voix *merveilleuse.*

JIM, *proteste.*

Oh !...

LAURA

Si, si... merveilleuse... merveilleuse.

JIM

Vous m'avez entendu ?

LAURA

Les trois fois.

JIM

Non ?

LAURA

Si.

JIM

Aux trois représentations ?

LAURA

Oui...

JIM

Pourquoi ?

LAURA

Je... je... voulais vous demander... un autographe pour mon programme.

JIM

Pourquoi ne me l'avez-vous pas demandé ?

LAURA

Vous étiez toujours si entouré que je n'ai jamais eu l'occasion.

JIM

Mais... il fallait...

LAURA

Mais, je... je craignais que vous ne pensiez que...

JIM

Vous craigniez que je ne pense... quoi ? ...

LAURA

Oh !...

JIM, *tout ragaillardi par ce souvenir.*

J'étais littéralement couvert de femmes, en ce temps-là.

LAURA

Vous aviez un succès inouï.

JIM

Ouais...

LAURA

Vous étiez si sympathique... si chaleureux.

JIM

Ah ça, j'étais gâté, là-bas.

LAURA

Tout le monde... vous aimait.

JIM

Vous y comprise ?

LAURA

Euh... oui... moi, moi aussi.

> (*D'un geste plein de douceur, elle referme le livre sur ses genoux.*)

JIM

Eh bien, eh bien, donnez-moi ce programme, Laura. (*Elle le lui tend, il y appose un large paraphe.*) Voilà... mieux vaut tard que jamais.

LAURA

Oh, vraiment... comme c'est... aimable à vous.

JIM

Oh, vous savez, ma signature ne vaut pas grand-chose à l'heure qu'il est. Mais peut-être qu'elle prendra de la valeur — un jour. Être désillusionné est une chose, être découragé en est une autre. Je suis peut-être un peu désillusionné, mais pas découragé. J'ai vingt-trois ans. Quel âge avez-vous ?

LAURA

J'aurai vingt-quatre ans au mois de juin.

JIM

Ce n'est pas vieux, ça.

LAURA

Non, mais...

JIM

Vous avez terminé vos études ?

LAURA, *hésitante*.

Je ne suis pas retournée au collège.

JIM

Comment... vous avez plaqué ?

LAURA

J'ai eu de mauvaises notes aux examens de fin d'année. (*Elle se lève et range le livre et le programme.*) Et que devient Emily Weisenbach ?

JIM

Oh, cette tête carrée ?

LAURA

Pourquoi l'appelez-vous comme cela ?

JIM

Parce que c'est une tête carrée.

LAURA

Vous ne la... fréquentez plus ?

JIM

Je ne la vois jamais.

LAURA

J'ai lu dans le bulletin que vous étiez fiancés.

JIM

Je sais bien, mais je ne me suis pas laissé avoir par cette... propagande.

LAURA

Ce n'était pas... la vérité ?

JIM

Seulement pour Emily, elle était un tantinet optimiste.

LAURA

Oh !...

> Sous-titre à l'écran : *Qu'avez-vous fait*
> *depuis le collège ?*

> *(Jim allume une cigarette et se renverse non-*
> *chalamment sur les coudes en souriant à*
> *Laura avec tant de charme qu'elle se sent*
> *comme intérieurement pénétrée de lumière.*
> *Elle reste à côté de la table en tournant entre*
> *ses doigts un des petits animaux de verre afin*
> *de cacher son trouble.)*

> JIM, *après avoir tiré quelques bouffées*
> *de cigarette, comme s'il réfléchissait.*

Qu'avez-vous fait depuis le collège ? (*Elle paraît ne pas*
l'avoir entendu.) Hum ? (*Elle lève les yeux vers lui.*) Je
demandais ce que vous aviez fait depuis le collège, Laura.

LAURA

Pas grand-chose.

JIM

Vous avez tout de même fait quelque chose pendant ces
six longues années ?

LAURA

Oui.

JIM

Eh bien, alors, quoi, par exemple ?

LAURA

J'ai fait un stage dans une école commerciale.

JIM

Et comment ça a marché ?

LAURA

Mon Dieu... pas très... bien... J'ai dû abandonner, cela me donnait... mal au cœur.

JIM, *rit gentiment.*

Et en ce moment, qu'est-ce que vous faites ?

LAURA

Rien de bien intéressant. Oh, mais surtout, n'allez pas croire que je reste là à ne rien faire. Ma collection me prend beaucoup de temps. Le verre est une chose qui demande énormément de soins.

JIM

Comment dites-vous ? Le verre ?...

(Laura s'éclaircit la gorge, et de nouveau se détourne, intérieurement gênée.)

LAURA

Oui.

JIM, *de but en blanc.*

Voulez-vous que je vous dise ce qu'il y a qui ne va pas ? Vous faites un complexe d'infériorité. Parfaitement. Vous

vous sous-estimez, Laura. Je le sais parce que moi aussi j'en ai fait un, de complexe. Quoique, dans mon cas, ce n'était pas aussi grave que ça m'a l'air de l'être chez vous... J'en ai souffert jusqu'au jour où j'ai commencé à suivre les cours d'art oratoire, à cultiver ma voix, et où j'ai appris que j'étais doué pour les sciences. Avant ça, jamais je n'aurais pensé que j'étais un crack dans aucun domaine. Bien que je n'aie jamais étudié la chose à fond, un de mes amis m'assure que je suis capable d'analyser le caractère des gens mieux que les psychiatres dont c'est le métier. Je ne prétends pas que ce soit nécessairement vrai, mais pour ce qui est de comprendre la psychologie de quelqu'un, pour ça, je m'y entends, Laura. (*Il enlève son chewing-gum de la bouche.*) Mande pardon, j'ai l'habitude de le jeter une fois que le parfum est parti. Je vais le mettre dans ce petit bout de papier. Je sais ce que c'est quand ça colle à un talon. Oui !... Comme je vous le disais, j'estime que la cause principale de vos difficultés, c'est un manque de confiance en vous. Vous n'avez pas suffisamment foi en votre propre personnalité. Je base mon argument sur un certain nombre de réflexions que vous m'avez faites, et aussi sur quelques observations auxquelles je me suis livré. Par exemple, ce clopinement qui vous semblait si terrible à l'idée d'entrer en classe. Vous vous rendez compte de ce que vous avez fait ? Vous avez lâché vos études à cause d'un pauvre petit clopinement de rien du tout, inexistant, pour ainsi dire. Une légère imperfection physique, qui se voit à peine. Démesurément grossie par votre imagination. Vous savez ce que je vais vous conseiller ? Mais alors sincèrement : dites-vous que vous êtes *supérieure* aux autres gens, par un côté quelconque.

LAURA

En quoi pourrais-je me considérer comme supérieure ?

JIM

Mais enfin, Laura, nom d'un petit bonhomme ! Prenez la peine de jeter un coup d'œil autour de vous. Qu'est-ce que vous voyez ? Rien que des gens tout ce qu'il y a d'ordinaire. Ils sont venus au monde et ils mourront, et voilà. Montrez-m'en un seul qui possède un dixième de vos qualités, ou des miennes. Ou de celles de n'importe qui, si on va par là. Bon sang ! tout le monde est doué pour quelque chose. Certains pour *plusieurs* choses. Il suffit de découvrir lesquelles. (*Machinalement, il se regarde dans la glace.*) Ainsi, moi, par exemple. (*Il arrange sa cravate.*) Il se trouve que je m'intéresse à l'électro-dynamique. Le soir, je suis des cours de technique radiophonique, vous comprenez, Laura ? En plus de mon emploi qui comporte tout de même des responsabilités à l'entrepôt, je suis le cours en question et aussi des cours d'art oratoire.

LAURA

Ohhh !

JIM

Parce que je crois à l'avenir de la T.V... oui, de la télévision. (*Se tournant vers Laura.*) Je veux être prêt à la suivre dans son essor et à m'élever avec elle. Dans ce but, j'ai l'intention de prendre ma place au bas de l'échelle. En fait, je me suis déjà assuré les appuis nécessaires. Il ne reste plus à l'industrie elle-même qu'à démarrer à toutes pompes... (*Il est tout dynamisme.*) La *connaissance*, zzp... L'*argent*, zzp... La *puissance*, zzp ! Voilà le cycle sur lequel est construite la démocratie. Vous devez penser que j'ai beaucoup de prétentions, hein ?

LAURA

Non... on... on... on... je...

JIM

Et vous ? Il n'y a pas quelque chose qui vous intéresse plus que tout le reste ?

LAURA

Eh bien, si... comme je vous l'ai dit, j'ai... j'ai la collection de verre...

(Un éclat de rire argentin part de la cuisine.)

JIM

Je crains de ne pas avoir très bien compris de quoi il s'agissait. De verre, vous dites ? Qu'est-ce que c'est ?

LAURA

Des petits bibelots, des objets d'ornement, pour la plupart. Ce sont presque tous des petits animaux de verre, les plus petits animaux en verre du monde. Maman appelle ça ma « Ménagerie de verre ». En voilà un, par exemple, si cela vous amuse de le regarder. Celui-ci est un des plus vieux, il a près de treize ans.

Musique : *La Ménagerie de verre.*

(Il tend la main.)

LAURA, *continue.*

Oh ! attention... un souffle peut le briser.

JIM

Alors, il vaut mieux que je ne le touche pas. Je suis un peu empoté.

LAURA

Allez-y, je vous fais confiance. (*Elle le place dans le creux de sa main.*) Voilà. Voyez comme vous le tenez délicatement. Tendez-le à la lumière, il adore la lumière. Vous verrez comme elle brille au travers.

JIM

C'est vrai qu'il brille.

LAURA

Je ne devrais pas avoir de préférence, mais c'est mon favori.

JIM

Qu'est-ce que ça représente ?

LAURA

Vous n'avez pas remarqué la corne qu'il porte au front ?

JIM

Oh, une licorne ?

LAURA

Hm... hm !

JIM

Des licornes, je croyais que la race en était éteinte dans notre monde moderne.

LAURA

Elle l'est.

JIM

Pauvre petit gars, il doit s'ennuyer tout seul.

LAURA, *souriante*.

S'il s'ennuie, il ne le montre pas. Il reste sur une étagère avec d'autres chevaux qui n'ont pas de cornes, et ils ont l'air de s'entendre tous très bien.

JIM

Qu'en savez-vous ?

LAURA, *badinant.*

Je ne les ai jamais entendus se disputer.

JIM, *souriant.*

Jamais de disputes, hein ? En effet, ça m'a l'air d'être bon signe. Où faut-il le mettre ?

LAURA

Posez-le sur la table. Ils aiment bien changer de paysage de temps en temps.

JIM, *s'étirant.*

Eh bien, eh bien... Regardez donc, je fais une grande ombre quand je m'étire.

LAURA

Oh... oh... oui, elle va jusque sur le plafond.

JIM, *allant vers la porte d'entrée.*

Je crois que la pluie a cessé. (*Il ouvre la porte d'accès à l'escalier de secours.*) D'où vient la musique ?

LAURA

Du *Paradis*, le dancing d'en face.

JIM

Si on en suait une petite, mam'zelle Gordon ?

LAURA

Oh ! mais...

JIM

A moins que votre carnet de bal ne soit déjà complet ? Permettez que je jette un coup d'œil ? (*Faisant semblant de manier un carnet de bal.*) Comment, mais toutes vos danses sont retenues ! Nous allons être obligés d'évincer quelques-uns de vos cavaliers. (*Se fouillant.*) Où est ma gomme ? (*Jim exécute seul quelques tours de valse, puis tend le bras à Laura.*) Ahhh, une valse !

LAURA, *oppressée.*

Je... je ne sais pas danser.

JIM

Ça y est. Vous voilà reprise par vot'truc d'infériorité.

LAURA

Je n'ai jamais dansé.

JIM

Essayez, allons...

LAURA

Oh, mais je vais vous marcher sur les pieds.

JIM

Je ne suis pas en verre.

LAURA

Comment... comment commence-t-on ?

JIM

Laissez-vous guider. Tendez un peu les bras...

LAURA

Comme ça ?

JIM

Un peu plus haut. Voilà. Attention, ne vous raidissez pas. C'est la chose primordiale : faut se relaxer.

LAURA, *rire oppressé.*

C'est difficile de ne pas se contracter.

JIM

Allons-y.

LAURA

Je crains bien que vous ne réussissiez pas à me faire bouger.

JIM

Qu'est-ce que vous pariez ?

(Il l'entraîne.)

LAURA

Grands dieux ! C'est vrai que vous avez réussi.

JIM

Laissez-vous aller, Laura, allons... laissez-vous aller, tout simplement.

LAURA

J'es...

JIM

Allons.

LAURA

...saie.

JIM

Pas si raide... en souplesse.

LAURA

Je sais bien, mais... je...

JIM

Relaxez-moi un peu cette colonne vertébrale... c'est déjà beaucoup mieux.

LAURA

Vous trouvez ?

JIM

Infiniment mieux.

> *(Il l'entraîne maintenant à travers la pièce en dansant maladroitement.)*

LAURA

Oh, mon Dieu !

JIM

Ah ! ah !

LAURA

Oh, grands dieux !

JIM

Oh... ah ! ah ! *(Soudain, ils se cognent contre la table. Jim s'interrompt.)* Contre quoi avons-nous buté ?

LAURA

La table.

JIM

Nous avons fait tomber quelque chose ? Il m'a semblé...

LAURA

Oui.

JIM

J'espère que ce n'est pas le petit cheval cornu.

LAURA

Si.

JIM

Oh... oh... oh... Il est cassé ?

LAURA

Non, il est devenu comme les autres chevaux.

JIM

Il a perdu... sa...

LAURA

... corne. Cela ne fait rien. C'est peut-être un mal pour un bien.

JIM

Vous ne me le pardonnerez jamais. Je parie que c'était votre bibelot préféré ?

LAURA, *s'enhardissant.*

Oh, vous savez, je n'ai pas de préférence, au fond. Cela n'a rien de dramatique. Brisé. C'est si fragile, le verre. On a beau faire attention, dès qu'un camion passe dehors, les étagères se mettent à trembler et il tombe toujours quelque chose.

JIM

Tout de même, je suis horriblement désolé d'en être la cause.

LAURA, *souriante.*

Je m'imaginerai qu'il a subi une opération. Qu'on lui a enlevé sa corne pour qu'il n'ait plus l'impression d'être un phénomène. (*Tous deux se mettent à rire.*) Maintenant, il se sentira plus à l'aise avec les autres chevaux, ceux qui n'ont pas de corne...

JIM

Ah... ah, très drôle. (*Tout à fait sérieux.*) Je suis heureux de voir que vous avez de l'humour. Vous savez... je trouve... enfin... je veux dire que vous n'êtes pas une fille ordinaire. Vous êtes étonnamment différente de toutes les jeunes personnes que je connais. (*D'une voix adoucie, un peu hésitante et sincèrement tendre.*) Ça ne vous ennuie pas que je vous dise cela ? (*Laura est trop déconcertée pour pouvoir répondre.*) Je l'entends comme un compliment, vous savez... (*Laura fait timidement un signe approbateur tout en détournant les yeux.*) Vous... rendez tout... oh, je ne sais pas comment exprimer ça. D'habitude, les mots me viennent tout seuls, pour ainsi dire, mais là... je ne sais vraiment pas comment m'y prendre... (*Laura porte ses mains à sa gorge, toussote, rabaisse les mains et fait tourner entre ses doigts la licorne cassée. D'une voix encore plus douce :*) Vous a-t-on déjà dit que vous étiez jolie ? (*Laura lève lentement des yeux pleins d'étonnement et secoue négativement la tête.*) Eh bien, vous l'êtes. D'une manière très personnelle, très différente des autres. Et d'autant plus agréable qu'elle est différente, d'ailleurs. (*La voix de Jim devient sourde et rauque. Laura est sur le point de s'évanouir sous le coup d'une émotion si nouvelle pour*

127

elle.) Je voudrais que vous soyez ma sœur. Je vous apprendrais à avoir confiance en vous. Les gens qui ont quelque chose en eux ne sont pas comme tout le monde, mais il n'y a pas là de quoi rougir. Parce que les autres gens n'ont rien de sensationnel. Il y en a par toute la terre. Mais vous, on ne vous trouve qu'ici. Eux sont aussi communs que les moineaux dans un parc, tandis que vous... eh bien... vous êtes « Bengali ».

Image à l'écran : *un bengali*.

La musique change d'air

LAURA

Mais...

JIM

Cela vous va parfaitement. Vous êtes si jolie...

LAURA

Qu'est-ce que j'ai de joli ?

JIM

Tout, je vous assure. Vos yeux, vos cheveux, vos mains... tout est joli en vous. (*Il lui saisit la main.*) Vous vous imaginez que je vous raconte tout ça pour êt'gentil parce qu'on m'a invité à dîner. Oh, bien sûr, je pourrais le faire par politesse. Je pourrais vous jouer la comédie, Laura, c'est facile de vous dire des tas de choses sans les penser profondément. Mais là, je suis sincère. Je pense vraiment tout ce que je viens de vous dire. J'ai remarqué que vous faisiez un complexe d'infériorité et que ça vous empêchait de vous sentir à l'aise avec les gens. Vous avez besoin de quelqu'un qui vous donne de l'aplomb, de façon que vous vous sentiez sûre de vous, fière, et pas timide, gênée, ou rougissante. Il faudrait que quelqu'un... vous...

vous embrasse, Laura. (*Sa main remonte en suivant le bras jusqu'à l'épaule de Laura.*)

La musique s'enfle en crescendo.

Brusquement, il saisit Laura et l'embrasse sur les lèvres. Aussitôt qu'il l'a lâchée, Laura se laisse tomber sur le sofa. Jim a un air complètement effaré. Il se recule, cherche une cigarette dans sa poche.)

Sous-titre à l'écran : *Souvenir.*

(*Jim allume sa cigarette en évitant le regard de Laura. De la cuisine part un éclat de rire argentin. C'est Amanda. Laura se redresse lentement et ouvre sa main qui tenait le petit animal de verre. Elle le regarde d'un air tendre et égaré.*)

JIM

Gaffeur ! Quel gaffeur je suis... C'est de la folie... C'était pas une chose à faire. *(Haut.)* Vous ne fumez pas, je pense ? *Elle lève les yeux en souriant, sans avoir entendu la question. Jim s'assied auprès d'elle avec précaution. Elle le regarde sans mot dire, attendant la suite. Jim toussote gravement et s'écarte un peu de Laura. Il commence vaguement à deviner ce qu'elle pense, et se sent troublé. Très doucement :)* Voulez-vous... un bonbon à la menthe ? *(Elle ne paraît pas l'avoir entendu, mais sa figure s'éclaire encore.)* Du peppermint. Mes poches sont un vrai bazar... Chaque fois que je rentre quelque part... *(Il met une barre de chewing-gum dans sa bouche. Puis il se décide à une explication. Il avale sa salive et il parle lentement en choisissant ses mots.)* Laura, je vais vous dire... Si j'avais une sœur comme vous, je ferais ce qu'a fait Tom. J'amènerais des copains et... je les lui présenterais. Le genre de garçons comme il faut. Seulement... voilà... en ce qui me concerne, il y a maldonne. Je n'ai peut-être pas de raison de vous dire ça. Il se peut que je me trompe du tout au tout et que Tom n'ait pas eu d'idée derrière la tête en m'invitant. S'il en avait une... eh bien... Il n'y avait pas de mal à ça. Le seul ennui, c'est qu'en ce qui me concerne... ma situation ne me permet pas de... faire ce qu'on attend de moi. Je ne peux pas prendre votre numéro de téléphone en vous promettant de vous appeler. Je ne peux pas vous donner un coup de fil la semaine prochaine pour... vous demander un rendez-vous. J'ai pensé qu'il valait mieux vous expliquer la situation afin d'éviter un malentendu et pour que vous ne soyez pas froissée... *(Un silence, puis lentement l'expression de Laura change, elle détourne son regard et contemple le petit bibelot qu'elle tient dans le creux de sa main. On entend encore le rire d'Amanda dans la cuisine.)*

LAURA

Vous ne reviendrez pas ?

JIM

Non, Laura, je ne peux pas. Comme je m'apprêtais à vous l'expliquer, j'ai des attaches sentimentales... Laura, je me suis rangé... *(Il se lève du sofa.)* Je sors tout le temps avec la même fille, elle s'appelle Betty, une jeune fille d'intérieur, dans vot'genre... une Irlandaise catholique et, sur beaucoup de points, on s'entend très bien tous les deux. J'ai fait sa connaissance l'été dernier sur le *Majestic* pendant une excursion en bateau, à Alton, au clair de lune. Et alors... ç'a tout de suite été le grand amour.

Sous-titre à l'écran : *Amour, Amour.*

(Laura vacille légèrement en avant et se rattrape au bras du sofa. Jim, absorbé dans ses propres souvenirs, ne la remarque pas.)

JIM

Depuis que je suis amoureux, je suis un autre homme. *(Penchée en avant, la main toujours crispée sur le bras du fauteuil, Laura lutte visiblement contre la tempête qui l'assaille. Mais Jim ne pense plus à elle. Elle est loin.)* La puissance de l'amour est une chose formidable. *(La crise s'apaise un peu, Laura se renverse et s'adosse au sofa. Jim sort de sa rêverie et reprend conscience de la présence de Laura.)* Il s'est trouvé que la tante de Betty est tombée malade — elle a reçu un télégramme et elle a dû partir d'urgence. Alors Tom, quand il m'a invité... naturellement j'ai accepté, ne sachant pas que je vous... qu'il... que je... *(Il bafouille et s'interrompt.)* Oh, quel empoté je fais ! *(Il se rassied posément sur le sofa. La flamme sacrée qui brillait dans les yeux de Laura a été soufflée comme par un coup de vent, ne laissant qu'une expression d'infinie désolation. Jim la regarde d'un air gêné.)* Je voudrais tant que vous... disiez quelque chose. *(Laura se mord la lèvre et sourit courageusement. Elle rouvre sa main qui tient toujours le bibelot brisé, saisit doucement la main de Jim, l'attire près de la sienne, y pose délicatement la petite licorne et lui referme les doigts dessus.)* Pourquoi faites-vous ça, Laura ? Voulez-vous me le donner, Laura ? *(Elle fait un signe d'assentiment.)* Pourquoi ?

LAURA

En... souvenir...

Sous-titre à l'écran : *Les choses tournent si mal*

ou

Image : *Jeune homme s'éloignant en faisant gaiement un signe d'adieu.*

> *(A ce moment, Amanda fait une brillante entrée dans le salon. Elle porte une cruche de citronnade, vieille cruche en cristal taillé, et une assiette de macarons, vieille assiette avec bordure dorée et coquelicots rouges.)*

Eh bien, eh bien ! Vous ne trouvez pas qu'il fait merveilleusement bon, après cette ondée ? Je vous ai fabriqué un petit rafraîchissement de mon cru, mes enfants. (*Elle se tourne gaiement vers le visiteur.*) Jim, vous connaissez cette chanson sur la citronnade ?

« L'aigrelette citronnade
Que l'on boit sous la charmille,
L'orangeade
Un peu fade,
Convient mieux aux vieilles filles. »

JIM, *mal à l'aise.*

Ah ! ah ! Non, je ne l'ai jamais entendue.

AMANDA

Eh bien, Laura, comme tu as l'air sérieux.

JIM

Nous avions une conversation sérieuse.

AMANDA

Bravo ! Maintenant vous vous connaissez mieux.

JIM, *d'un ton mal assuré.*

Eh... euh... oui.

AMANDA

Vous autres, jeunes gens de la nouvelle génération, vous êtes tellement plus portés sur les choses sérieuses que nous ne l'étions ! J'étais si gaie quand j'étais jeune fille.

JIM

Vous n'avez pas changé, madame Gordon.

AMANDA

Je me sens rajeunie. C'est fête, ce soir, monsieur O'Connor.

> *(Elle rejette la tête en riant aux éclats et renverse un peu de citronnade.)*

JIM

Permettez, permettez...

AMANDA, *posant la cruche sur la table.*

Voilà. Figurez-vous que j'ai découvert que nous avions des cerises au marasquin. J'ai vidé le bocal dedans, avec le jus et tout. Un mélange invraisemblable.

JIM

Vous n'auriez pas dû vous donner toute cette peine, madame Gordon.

AMANDA

Cette peine ! Qui parle de peine ? Qu'est-ce que vous me chantez là ? Mais c'était follement amusant, au contraire ! Vous ne m'entendiez pas jeter feu et flammes dans la cuisine ? Je parie que les oreilles vous tintaient. Je disais à Tom que j'étais littéralement outrée de la façon dont il vous avait séquestré jusqu'ici. Il y a longtemps qu'il aurait dû vous amener à la maison. Enfin, maintenant que vous connaissez le chemin, j'espère que vous serez un visiteur assidu. Pas seulement occasionnel, mais assidu. Ah, les joyeux moments que nous allons passer ensemble ! Les heures exquises que je vois venir... Sentez comme l'air est bon et frais et regardez comme la lune est jolie. Mais je m'esquive — je ne veux pas être importune, je sais où est ma place quand les jeunes gens discutent de choses... sérieuses...

JIM

Oh, ne vous en allez pas, madame Gordon. Le fait est que je dois partir...

AMANDA

Partir maintenant ? Mais voyons, nous avons à peine entamé la soirée.

JIM

Oh, vous savez ce que c'est...

AMANDA

Je comprends. Pour un jeune homme sérieux, le travail est une chose sacrée, et vous vous astreignez à mener une vie régulière. Eh bien, pour ce soir, nous vous laisserons partir tôt. Mais seulement à condition que vous restiez plus tard la prochaine fois. Quel est le jour qui vous convient le mieux ? N'est-ce pas le samedi, pour les travailleurs ?

JIM

C'est que je dois pointer deux fois par jour, madame Gordon. Une fois le matin, et une fois le soir.

AMANDA

Grands dieux, jeune homme. Quelle ambition ! Vous travaillez aussi la nuit ?

JIM

Non, m'dame. C'est pas du travail, c'est... Betty.

AMANDA

Betty, Betty, qui est cette Betty ?

(Jim traverse résolument la scène pour aller prendre son chapeau. L'orchestre du dancing à côté joue une valse langoureuse.)

JIM

Oh, une copine... mon amie.

(Il a un sourire charmant. Le ciel s'effondre.)

Sous-titre à l'écran : *Le ciel s'effondre.*

AMANDA, *lâche un soupir contenu. Dans un souffle oppressé.*

Oooh... et c'est... sérieux, cette aventure, monsieur O'Connor ?

JIM

Nous allons nous marier, le deuxième dimanche de juin.

AMANDA

Oooh... c'est charmant. Tom ne m'avait pas dit que vous étiez fiancé.

JIM

Personne n'a encore éventé la mèche. Vous savez comment ils sont, là-bas, à l'entrepôt. Je me ferais traiter de don Juan, de Roméo et tout ce qui s'ensuit. *(Il s'arrête devant la glace ovale pour mettre son chapeau, il arrange avec soin le bord et la coiffe, et l'incline cavalièrement sur l'oreille.)* J'ai passé une soirée épatante, madame Gordon, et je vous remercie pour cet échantillon d'hospitalité méridionale.

AMANDA

Cela ne vaut pas la peine d'en parler, je vous assure.

Je m'excuse si j'ai l'air de me sauver, mais j'ai promis à Betty d'être là avec mon tacot ; le train est sûr d'être en gare. Il y a des femmes qui n'aiment pas qu'on les fasse attendre, vous savez ce que c'est...

AMANDA

Oui, je sais... la tyrannie féminine. (*Il tend la main.*) Au revoir, monsieur O'Connor. Je vous souhaite chance, bonheur, et réussite. Les trois. Laura aussi, n'est-ce pas Laura ?

LAURA

Oui.

JIM, *lui serrant la main.*

Au revoir, Laura. Vous pouvez être sûre que je vais conserver précieusement ce souvenir. Et surtout n'oubliez pas mes bons conseils. (*Élevant la voix et d'un ton joyeux.*) Salut, Shakespeare. Merci encore, mesdames. Bonne nuit.

> (*Un dernier sourire, et il sort d'un pas léger. Sans cesser de sourire héroïquement, Amanda referme la porte sur le visiteur. Puis elle se retourne et contemple la pièce d'un regard vide. Et elle ni Laura n'osent se regarder. Laura s'accroupit près du gramophone pour le remonter.*)

AMANDA, *d'une voix étouffée.*

Les choses tournent toujours si mal. A ta place, je m'abstiendrais de faire marcher le phonographe. Eh bien, notre soupirant était déjà fiancé. Tom !

TOM, *du fond.*

Maman ?

AMANDA

Viens ici un instant. J'ai quelque chose de très amusant
à te raconter.

TOM, *entre, un macaron et un verre de citronnade à la main.*

Notre hôte est déjà parti ?

AMANDA

Notre hôte a pris congé de bonne heure. Ah ! tu peux te
vanter de nous avoir fait une bonne farce !

TOM

Comment ?

AMANDA

Tu ne nous avais pas dit qu'il était fiancé et qu'il allait
se marier.

TOM

Jim ? Fiancé ?

AMANDA

C'est ce qu'il vient de nous apprendre.

TOM

Ça alors ! Je veux bien être changé en bourrique ! Je
n'en savais rien.

AMANDA

Voilà qui me paraît bizarre !

TOM

Qu'est-ce qui est bizarre ?

AMANDA

Jim n'est pas ton meilleur ami à l'entrepôt ?

TOM

Si, mais comment voulais-tu que je sache ?

AMANDA

Je trouve extrêmement bizarre que tu n'aies rien su du prochain mariage de ton meilleur ami.

TOM

L'entrepôt, c'est là où je travaille, ce n'est pas là où j'apprends des choses sur les gens.

AMANDA

Tu n'apprendras jamais rien nulle part. Tu vis dans les nuages, et tu te nourris d'illusions. (*Tom se dirige vers la porte.*) Où vas-tu ?

TOM

Au cinéma.

AMANDA

C'est ça ! Maintenant que, grâce à toi, nous nous sommes ridiculisées, tu vas au cinéma. Tous nos efforts, tous les préparatifs, tous les frais. Le nouveau lampadaire, la carpette, la robe de Laura. Et tout cela pourquoi ? Pour recevoir le fiancé d'une autre fille. Va au cinéma, ne t'inquiète pas de nous, de ta mère abandonnée, de ta sœur infirme, sans mari, sans travail. Que rien ne vienne troubler ton plaisir égoïste, surtout. Va, va, va au cinéma.

TOM

Très bien, j'y vais. Plus tu me casseras les oreilles avec tes discours sur mon égoïsme, plus vite je m'en irai, et pas au cinéma.

Eh bien, va-t'en. Va dans la lune... rêveur égoïste.

> *(Tom lance son verre par terre et se précipite sur le palier en claquant la porte. Laura pousse un cri qui est coupé net par la fermeture de la porte. La musique du dancing donne à plein. Tom s'agrippe à la rampe de l'escalier et tourne son visage vers la lune qui envahit le gouffre de l'impasse.)*

Sous-titre à l'écran : *Et adieu donc !*

> *(Pendant tout le dernier récitatif de Tom, une pantomime se joue dans l'appartement, que le public voit à travers la glace d'une cabine étanche ou non. On aperçoit Amanda pelotonnée sur le sofa. Maintenant qu'on ne l'entend plus, Amanda a cessé d'être ridicule. Elle n'est plus qu'une femme digne, courageuse et tendre, et d'une beauté pathétique. Les cheveux de Laura lui cachent la figure jusqu'au moment où sa mère ayant fini de parler, elle lève vers elle son visage et lui sourit. Les gestes d'Amanda, pendant qu'elle console sa fille, sont lents et gracieux comme une figure de danse. A la fin de la tirade de Tom, elle souffle les bougies. La pièce est terminée.)*

TOM

Je ne suis pas allé dans la lune, je suis allé beaucoup plus loin... car le temps est la plus grande distance d'un point à un autre. Peu après les événements dont vous venez d'être témoins, je fus congédié pour avoir écrit un poème sur le couvercle d'une boîte à chaussures. Je quittai donc Saint Louis. Je descendis pour la dernière fois les marches de l'escalier de secours, et dès lors je suivis les traces de mon père, m'efforçant de retrouver dans le mouvement ce qui était perdu dans l'espace... Je fis beaucoup de chemin. Les villes fuyaient derrière moi comme des feuilles mortes, des feuilles aux vives couleurs, mais arrachées à leurs branches. Je me serais volontiers arrêté, mais j'étais poursuivi par quelque chose. Cela me tombait toujours dessus, à l'improviste, cela me prenait toujours par surprise. Ou bien c'était un air de musique déjà entendu. Ou un bruit de verre transparent. Parfois il m'arrive de marcher le soir, dans les rues d'une ville étrangère, en attendant de trouver des compagnons. Je passe devant l'étalage illuminé d'une boutique de parfums. La vitrine est remplie de verre colorié, de minuscules flacons transparents aux couleurs délicates, semblables aux fragments d'un arc-en-ciel pulvérisé... et tout à coup, ma sœur me touche. Je me retourne et je la regarde dans les yeux. Oh, Laura, Laura, j'ai essayé de te laisser derrière moi, mais je suis plus fidèle que je ne voulais l'être ! Je cherche dans mes poches une cigarette, je traverse la rue, j'entre dans un cinéma ou dans un bar, je prends un verre, j'adresse la parole à l'étranger le plus proche, n'importe quoi... pour essayer d'oublier tes petites joies, tes petits espoirs, pour effacer ton souvenir comme on souffle une bougie. (*Laura se penche sur les bougies.*) Car aujourd'hui le monde est illuminé d'éclairs. Souffle tes bougies, Laura, et adieu donc.

LE PARADIS SUR TERRE

(KINGDOM OF EARTH)

Adaptation de Matthieu Galey

SCÈNE I

Au lever du rideau, le décor est désert. Il évoque la mélancolie d'un blues chantant la solitude. On reconnaît l'arrière d'une ferme, dans le delta du Mississippi. Seuls sont visibles le rez-de-chaussée et la moitié du premier étage, dont les murs gris se confondent avec un ciel plombé. De part et d'autre de la maison, de hauts bambous vibrent au vent. Mêlé à ses hurlements, on distingue au loin le grondement menaçant d'un fleuve en crue. A l'exception de la porte, praticable, ce mur est constitué par un écran, qu'on relève lorsque l'action se situe à l'intérieur de la maison. On la découvre alors en coupe : une cuisine côté cour, un petit salon rococo côté jardin ; au milieu une entrée sombre, étroite, et un escalier qui conduit à l'étage supérieur. Celui-ci est composé d'un palier et d'une chambre mansardée, côté cour ; le reste de l'étage ne joue aucun rôle dans la pièce et demeure invisible.

Il s'agit d'un décor difficile à réaliser, et qui réclame tous les soins d'un artiste émérite.

Peu après le lever du rideau, on entend un bruit de moteur : une automobile qui s'arrête près de la maison.

VOIX D'HOMME, *off.*

Hé ! Poulet ! Poulet !

> *(On entend le vent souffler. Puis apparaît le personnage ainsi désigné. C'est un homme jeune (trente à trente-cinq ans), chaussé de*

143

hautes bottes comme en portent les pêcheurs
et les égoutiers. Il semble de taille à tenir tête
aux éléments déchaînés.)

VOIX DE FEMME, *off.*

On fiche le camp, nous autres.

POULET

Je vois ça.

VOIX D'HOMME, *off.*

On monte à Beauregard. Paraît qu'on risque rien, là-haut. Ça sera pas inondé.

POULET

C'est encore les bobards de la radio ! Ils ne savent pas ce qu'ils racontent.

VOIX DE FEMME, *off.*

On regrette, mais on n'a pas de place pour toi dans la voiture.

POULET

Oh, ça m'est bien égal. Même si j'en avais une à moi, je ne bougerais pas... (*Il regarde droit devant lui, comme si les voix venaient du fond du théâtre. Une faible lueur éclaire le mur gris.*)... Alors, vous voyez, ce n'est pas la peine de vous faire de la bile...

VOIX DE FEMME, *off, d'un ton aigre.*

Oh, je ne m'en fais pas du tout. C'est à toi de voir, mon gars. Tu es assez grand pour savoir ce qui te reste à faire. Seulement, on a entendu dire que le père Sikes fera peut-être sauter sa digue, ce soir. Alors, dans ce cas-là, tu peux être tranquille : t'auras bien trois mètres d'eau chez toi.

144

POULET

J'aime mieux ça que d'aller crever dans la boue sur la route de Beauregard. Pas la peine d'aller si loin pour se faire noyer, comme des chats dans un sac. Ici, au moins, je peux me raccrocher à quelque chose. Elle a déjà tenu le coup cinq fois, ma baraque, alors... J'aurai qu'à grimper sur le toit avec mes poulets. Je l'ai déjà fait, je peux recommencer. D'ailleurs c'est pour ça qu'on m'appelle Poulet...

VOIX DE FEMME, *off, venimeuse.*

On doit avoir une sacrée faim, sur un toit, en attendant que ça se passe.

POULET

Bah, j'aurai qu'à tordre le cou à mes poulets. Je leur boirai le sang.

VOIX D'HOMME, *off.*

J'ai déjà vu un type qui faisait ça, dans une foire.

VOIX DE FEMME, *off.*

Il est bien capable de le faire aussi ; il a même une tête à aimer ça, le Poulet. Allez, Papa, on s'en va. Il fait un froid de canard, ici.

> (*On entend un bruit de moteur et d'éclaboussures : les roues patinent.*)

POULET

Déjà dans la gadoue ? Je regrette, mais j'ai pas de place pour vous chez moi.

VOIX DE FEMME, *off.*

Dommage qu'on n'ait pas de place pour toi, oui.

(La voiture démarre.)

VOIX D'HOMME, *off.*

Ça y est ! Ça démarre !

(Le bruit de moteur et les braillements des gosses s'estompent. On entend à nouveau le murmure menaçant du fleuve. Les bambous crépitent sinistrement dans le vent.
Poulet entre dans la cuisine et craque une allumette, faisant jaillir la flamme bleue d'une lampe à pétrole. Tandis que Poulet se chauffe les mains sur le verre de la lampe, des ombres mouvantes se dessinent sur son visage. C'est un homme étrange, ce qui ne l'empêche pas d'être d'une beauté saisissante, ses yeux très clairs contrastant avec son teint sombre, plus foncé qu'olivâtre. Quant à son corps, il paraît puissant, harmonieux et viril.
Après s'être réchauffé les mains, Poulet prend la lampe et se dirige vers la cuisinière, mais s'arrête en chemin devant un calendrier orné d'une femme nue, qui est cloué sur le mur, au-dessus du lit défait. D'une main il lève la lampe pour mieux voir, et de l'autre il se caresse, machinalement. Mais il murmure soudain : « Non ! » et va se préparer une tasse de café, en répétant de temps en temps à mi-voix la phrase perfide de la femme : « Dommage qu'on n'ait pas de place pour toi. »
Brusquement, il se met à frissonner, et lève la tête, comme un chien à l'arrêt. Il tend l'oreille quelques secondes, puis l'on entend enfin le bruit d'un moteur : une voiture qui approche. Poulet souffle alors la lampe, et se penche sur elle, comme s'il voulait en cacher la moindre lueur.)

POULET, *entre ses dents.*

C'est lui ! *(Le bruit de moteur cesse, tout proche, et l'on entend une voix de femme qui crie quelque chose. Poulet émet un grognement de surprise.)* Avec une femme ! Lui ?

(Il pose rapidement la lampe et court fermer à clé la porte qui sépare la cuisine de l'entrée.

Muguette et Lot apparaissent côté jardin. Ce couple insolite doit immédiatement surprendre. Muguette est une jeune femme rondelette, douée d'une forte voix. Je l'imagine vêtue d'un sweater rose tendre et d'un pantalon à carreaux très moulant. Ses cheveux décolorés sont retenus par une écharpe trempée, dans les tons roses. Sa silhouette évoque une manière de Marilyn Monroe du pauvre.

Lot la suit. Il traîne péniblement deux valises. C'est un joli garçon d'une vingtaine d'années — il a donc dix ans de moins que Muguette —, frêle, délicat ; une sorte d'oiseau des îles que sa fragilité même fait paraître plus jeune qu'il n'est.

Muguette le domine manifestement, mais avec gentillesse.)

MUGUETTE

C'est ça, l'entrée ?

LOT, *hors d'haleine.*

Non... C'est... de l'autre côté.

MUGUETTE

Eh bien, il ne te reste plus qu'à faire le tour, alors ! La première fois, je ne vais tout de même pas entrer chez moi par la porte de service. Ça, pas question ! (*Elle se dirige vers la façade, en se frayant un chemin à travers les bambous.*) Normalement, tu devrais aussi me prendre dans tes bras. Ça se fait, quand on est jeunes mariés ! Enfin, je ne t'en demande pas tant, mais il y a tout de même des limites ! (*Ces récriminations sont dites sur un ton enjoué. Muguette est manifestement soulagée d'être parvenue sans encombre au terme de ce pénible voyage. Elle possède ce qu'on appelle une bonne nature ; c'en est même pitoyable, car elle n'a rien d'autre pour se défendre dans la vie. Une rafale de vent vient couvrir sa voix. Avec une peine visible, Lot prend son souffle et tente de la suivre sur sa lancée. Mais il chancelle, se met à tousser et doit s'appuyer contre le mur de la maison, en laissant tomber les valises de carton bouilli toutes trempées qu'il traîne lamentablement. Haletant, il s'adosse au mur dégoulinant de pluie, tandis que Muguette l'appelle, d'une voix suffisamment forte pour couvrir le bruit du vent.)* Eh bien, Lot, tu arrives ? *(A l'intérieur de la cuisine, Poulet, crispé, tapi comme un animal, tâche de voir et d'entendre, en grommelant des paroles inaudibles. Au bout de quelques secondes, Muguette se lasse d'attendre de l'autre côté de la maison et revient d'un pas décidé, en imitant les hurlements du vent.)* Hou-ouhou-ou-ou ! Ce vent, il vous passe à travers le corps ! Une vraie lame de rasoir. Alors, tu prends racine, là-bas, ou quoi ?

LOT

J'n'ai plus... d'souffle...

> *(Elle se précipite, débordante de sentiment maternel.)*

MUGUETTE

Oh, mon petit amour !

LOT

Je n'aurais pas dû... essayer de... porter ces valises...

> *(Il lève un regard égaré vers le ciel qui s'assombrit. Muguette l'observe, inquiète.)*

MUGUETTE

Nous v'là bien.

LOT

Qu'est-ce que tu dis ?

MUGUETTE

Rien, rien. (*Il se penche avec difficulté pour reprendre une valise, qu'elle lui arrache des mains.*) Allez, viens. Ne t'appuie pas contre ces planches mouillées, c'est froid comme tout. On va entrer. (*La valise à la main, elle tente d'ouvrir la petite porte et dit* :) Elle est fermée à clé, cette porte !

LOT

Non, elle est dure, simplement. L'humidité, ça la fait toujours gonfler. (*Elle tire, et la porte cède brusquement ; Muguette manque de s'étaler sur les marches. Elle reprend son équilibre en riant, et pousse la valise à l'intérieur. Puis elle pénètre dans l'étroit vestibule plongé dans l'obscurité. Lot la suit.*) Où vas-tu ?

MUGUETTE

Je vais tout de suite dans le salon. C'est par là que je veux commencer la visite de mon petit chez-moi. C'est cette porte-là ?

LOT

Oui, oui.

MUGUETTE

Elle est dure aussi. (*La porte cède.*) Ah, voilà.

LOT

Entre.

MUGUETTE

Passe le premier pour allumer, que je puisse le voir, ce salon.

LOT, *manœuvrant l'interrupteur.*

L'électricité ne marche pas.

MUGUETTE

Comment ça se fait, mon chou ?

LOT

Il se fait que... (*Il pousse un long soupir.*)... quand il y
a des inondations, le courant électrique qui passe dans les
lampes... (*Il lui parle comme si elle était demeurée, et
pousse un nouveau soupir, qui siffle dans sa gorge.*)... on
le coupe pendant un moment. Tu comprends, Muguette ?

MUGUETTE

Combien de temps ça dure, cette affaire-là ?

LOT

Oh, ça revient à la ... (*Nouveau soupir.*)... à la fin de la
crue. Ils sont en velours ces rideaux, tu sais. Ça ne se voit
plus, tellement ils sont sales, maintenant.

> (*Il écarte les rideaux avec d'infinies précau-
> tions. Une faible lumière grise éclaire le
> salon.*)

MUGUETTE

Il n'y a pas à dire, c'est un joli salon, un joli petit salon.

LOT

Ma mère a fait tout ce qu'elle a pu pour arranger la
maison, mais mon père (*soupir*)... il n'y connaissait rien,
et ça le gênait, par-dessus le marché ! C'était un homme
qui n'aimait vivre que dans sa cuisine, et il n'a jamais
voulu que ma mère installe une salle à manger. Quand il
est mort, en bramant comme une bête, Maman aurait pu
transformer la maison à son idée, ou même la recons-
truire, mais la vie ne lui en a pas laissé le temps, la
pauvre...

MUGUETTE

... Elle... ?

LOT

Elle est morte, moins d'un an après mon père.

MUGUETTE

Comme c'est triste !

LOT

Oui... Tragique.

MUGUETTE

Oh... un salon avec des chaises dorées... On croit rêver.

LOT

Le lustre est en cristal, mais les pendeloques sont pleines de poussière. Il faudrait les décrocher une par une, et les tremper dans de l'eau tiède avec du savon. Après, on les rince dans une cuvette, on les sèche avec un chiffon doux, et puis on les raccroche. (*Poulet, dans la cuisine, fait une grimace significative.*) C'était toujours Maman et moi qui faisions ça. Elle n'a jamais voulu que la négresse s'occupe de quoi que ce soit ici ; elle ne voulait même pas qu'elle mette les pieds dans le salon. Les belles choses, il faut savoir ce qu'elles valent, il faut les aimer pour en prendre soin. La veille de sa mort, sais-tu ce qu'elle a fait ? (*Muguette secoue la tête, en fixant son étrange mari d'un regard plein de curiosité.*)... Elle a grimpé sur un escabeau, et elle a détaché toutes les pendeloques de leur petit crochet de cuivre. Elle me les a passées ; je les ai savonnées, rincées, essuyées, et puis elle les a remises sur leurs petits crochets. Ensuite elle m'a dit : « Aide-moi donc à descendre de cet escabeau, mon petit. Je ne sais pas ce que j'ai, je n'en peux plus. »

MUGUETTE

Mon chou, c'que t'as, c'est un complexe d'Œdipe. Mais moi je vais t'en guérir. Tu m'entends ?

LOT

Avec une voix comme la tienne, il faudrait se boucher les oreilles.

MUGUETTE

Tant mieux ! Quand je parle, j'aime bien qu'on m'entende. Tu sais, mon chou, ton complexe d'Œdipe, je vais te le faire passer, parce que je ne suis pas seulement ta femme, je suis aussi ta mère, et je ne suis pas morte, moi, je suis bien vivante ! Naturellement, je ne veux pas dire que je vais prendre sa place dans ton cœur, mais...

(Elle approche une des petites chaises dorées de celle sur laquelle Lot est assis.)

LOT

Ne t'assieds pas sur les chaises de Maman. Elles sont trop fragiles.

MUGUETTE

Tu y es bien assis, toi !

LOT

Je suis moins lourd.

MUGUETTE

Parfait ! Je reconnais mes torts, Monsieur le Squelette ! Alors, il faut que je reste debout, ou est-ce que je peux au moins m'asseoir sur le canapé ?

LOT

Oui, installe-toi sur le canapé. (*Courte pause. Il laisse tombler la tête sur sa poitrine, et ferme ses yeux aux paupières violacées.*) Petit oiseau doit faire son nid...

MUGUETTE

Qu'est-ce que tu marmonnes ?

LOT

Quoi ?

MUGUETTE

Tu viens de parler d'un petit oiseau...

LOT

Je suis trop fatigué pour savoir encore ce que je dis.

MUGUETTE

Est-ce que tu es aussi trop fatigué pour écouter ce que je te dis, moi ?

LOT

Qu'est-ce que tu marmonnes ?

MUGUETTE

Je dis que tous mes appareils électriques sont dehors, dans cette voiture qui prend l'eau.

LOT

Ah... oui...

MUGUETTE

Tu ne m'avais pas raconté que tu avais des nègres à ton service.

Il y a une femme qui s'appelle Clara, et le type qui vit avec elle.

MUGUETTE

Comment fait-on pour les appeler quand on a besoin d'eux, cette Clara et son type ?

LOT

Il faut... (*soupir*)... aller sonner... une cloche.

MUGUETTE

Où est-elle, cette cloche ?

LOT

Elle est... (*soupir*)... dans la cuisine.

MUGUETTE

Cuisine, me voici ! (*Au cours de ce dialogue, Poulet a entrouvert la porte de la cuisine pour écouter la conversation. Il la referme silencieusement et donne un tour de clé.*) Cette Clara et son gars, ils vont rappliquer en vitesse ; ils ne savent pas que c'est Mme Ravenstock qui les appelle. (*Elle fonce tête baissée sur la porte de la cuisine derrière laquelle se cache Poulet. Lot chancelle et tombe de sa chaise. Il se traîne jusqu'au canapé en vacillant. Muguette trouve la porte de la cuisine fermée, secoue la poignée, et appelle :*) Qui est là ? Qui est dans la cuisine ? Il y a quelqu'un ? (*Elle colle son oreille à la porte. Poulet respire lourdement comme s'il venait de se battre. Muguette secoue à nouveau la poignée et la clé tombe à l'intérieur de la cuisine. Surprise, elle s'arrête et retourne dans le petit salon ; elle paraît effrayée.*) Si c'est un chien, pourquoi est-ce qu'il n'aboie pas ?

LOT

Un chien ?

MUGUETTE

La porte de la cuisine est fermée à clé, ou alors elle est rudement dure... Et je te jure que j'ai entendu respirer juste derrière, quelque chose comme un gros chien. J'ai secoué la poignée, et j'ai entendu tomber la clé de l'autre côté. Veux-tu me faire le plaisir de te réveiller et d'écouter ce que je te dis ?

LOT, *d'une voix sourde et rauque.*

Je me doutais bien qu'il se cachait là.

MUGUETTE

Qui ça ? Quoi donc ?

LOT

Le Poulet.

MUGUETTE

Un poulet qui se cache ? Dans la cuisine ? Qu'est-ce que tu racontes ? Je n'ai jamais entendu un poulet qui souffle comme un phoque !

LOT

Écoute, Muguette, il ne s'agit pas d'un poulet avec des plumes, je te parle de mon demi-frère, qui s'occupe de la propriété à ma place.

MUGUETTE

Ça, alors, ça me la coupe ! Tu parles d'une nouvelle !

LOT

Ne crie pas comme ça, je t'en prie ! Il faut que je t'explique un peu la situation.

MUGUETTE

Tu aurais peut-être pu le faire plus tôt.

LOT

Oui, peut-être bien... Mais de toute façon... maintenant...

MUGUETTE

Tu m'énerves, à la fin. Qu'est-ce que ça veut dire ? Ton frère est caché dans la cuisine, et nous on gèle à moitié dans cette glacière ?

LOT

Tu ne pourrais pas parler plus bas ?

MUGUETTE

Pas quand je suis en colère. S'il est là-dedans, pourquoi est-ce que tu ne l'appelles pas ?

LOT

Il ne tardera pas à sortir tout seul. Une femme ici, ça va lui donner un peu à réfléchir, dans sa cuisine. Voilà ce que je me dis.

MUGUETTE

Bon ! Je ne trouve pas d'autre mot... Bon !

LOT

Oui, voilà ce que je me dis, moi.

MUGUETTE

Et c'est pour ça que tu trembles des pieds à la tête, ce n'est pas le froid.

LOT

Mais si, c'est le froid, puisqu'il n'y a pas le moindre chauffage dans cette maison, sauf dans la cuisine. Mais la porte est fermée à clé, et lui dedans.

MUGUETTE

Cela me paraît aussi clair que des mots croisés en chinois, mais enfin, à force de rouler sous la pluie je dois avoir le cerveau qui prend l'eau... Pourrais-tu m'expliquer pourquoi ton frère éprouve le besoin de se cacher dans la cuisine à notre arrivée... en faisant croire qu'il n'est pas là... ou Dieu sait quoi ?

LOT

Tu ne peux pas tout comprendre d'un coup, Muguette. Veux-tu essayer de te rappeler quelque chose. Veux-tu ? Tâche au moins de te mettre une chose dans la tête.

MUGUETTE

Quoi ?

LOT

Que ce domaine est à moi. Que tu es ma femme. Et que par conséquent tu es la maîtresse ici, maintenant. Tu as bien compris ?

MUGUETTE

Mais alors pourquoi... ?

LOT

Chut ! Je t'en prie ! Ne hurle pas, veux-tu ?

MUGUETTE

Mais...

LOT

Veux-tu, s'il te plaît ? (*Un temps.*)

MUGUETTE

D'accord. (*Elle renifle.*) Voilà que j'ai attrapé ton rhume à présent... Enfin, s'il est dans cette cuisine, pourquoi est-ce qu'il n'en sort pas ?

LOT

Oh, il en sortira, quand il aura bu deux ou trois verres pour se donner du cœur au ventre.

MUGUETTE

Pourquoi ? Il a des complexes, lui aussi ?

LOT

Il est un peu bizarre. On ne l'aime pas beaucoup, par ici.

MUGUETTE

Je trouve qu'il faudrait aller le chercher. Ce serait plus correct.

LOT

Un peu de patience. Il ne sortira qu'à son heure. Aimes-tu le cherry ?

MUGUETTE

Je crois bien que je n'en ai jamais goûté.

LOT

Il en reste un fond dans cette vieille carafe en cristal taillé. C'était celui de Miss Lottie.

MUGUETTE, *ailleurs.*

Ah... Ah... bon...

LOT, *toujours dans un souffle.*

C'est du cristal de Bohême. Les verres aussi.

MUGUETTE

Tiens, tiens...

LOT

Tous les après-midi, vers cette heure-ci, Miss Lottie prenait un œuf cru dans un verre de cherry, pour se fortifier. Même quand elle était descendue à quarante kilos, ça lui redonnait toujours des forces, son œuf au cherry. Elle appelait ça son cherry-flip. Ça la requinquait, ça lui rendait de l'entrain, de la vie.

MUGUETTE

Tu te rends compte, je croyais qu'il y avait un chien, là-dedans. J'entendais respirer, si fort que je me suis dit : « Ce doit être un vieux clébard qu'on a enfermé dans cette cuisine. Ah, ah... j'étais loin de me douter... hé, hé... que c'était... ton frère. (*Il se met à tousser. La toux le secoue des pieds à la tête, et il s'appuie au mur, chancelant, fixant Muguette de ses yeux clairs, brûlant de fièvre. Elle le serre étroitement dans ses bras.*) Eh bien, mon chou ! Mon amour joli ! En voilà une vilaine toux !... Je crois que ce n'était pas très prudent de venir ici, avec cette grippe !

LOT

Écoute... Le voilà qui bouge ! (*Quand la quinte de toux de Lot atteint son paroxysme, Poulet se détend. Il se dirige vers le buffet de la cuisine, en sort une bonbonne, dont il avale une grande rasade.*) ... Une maison sans femme, forcément, c'est la catastrophe.

MUGUETTE

Mais maintenant il y en a une.

LOT

C'est vrai. On va la reprendre en main, la maison.

MUGUETTE

Ça, tu peux être tranquille. Et pas plus tard que demain matin. Dès que le soleil sera levé, la première chose qu'on fera après le petit déjeuner, ce sera de... de... d'aller chercher ce fameux escabeau pour laver ces machins ; ça va briller comme le lustre des Grands Magasins de Memphis. Et puis on fera... on fera un tas de choses dès que le beau temps sera revenu. L'été ne va pas tarder, tu sais, mon trésor ? C'est pour bientôt, l'été.

LOT

Oui, l'été, les après-midi qui n'en finissent plus, chauds, dorés ; le soleil séchera les murs, et moi...

MUGUETTE

Je vais t'obliger à te reposer. Et à te refaire une santé, tu m'entends ? Je veux d'abord que tu retrouves tes forces. Et puis mon chou, après, on se fera un enfant, toi et moi. Si c'est un garçon, on l'appellera Lot, et si c'est une fille, on l'appellera Lottie.

LOT, *fermant ses paupières.*

Si les lits parlaient, ils en auraient des choses à dire...

MUGUETTE

Hier soir, mon chéri, ça ne compte pas. Tu étais trop énervé. Je vais t'apprendre une chose qui t'étonnera peut-être, mais les hommes sont deux fois plus nerveux que les femmes, et toi, tu es deux fois plus nerveux que les hommes.

LOT

Alors je ne suis pas un homme ?

MUGUETTE

Si, au contraire. Tu es plus homme que les autres. (*Elle l'étreint et chantonne.*) Hier soir, tu m'as fait retrouver ce qu'il y a de plus vrai en moi, l'instinct maternel. Ce soir, je te bercerai, tu verras. Je ne fermerai pas l'œil de la nuit, sans doute je te regarderai dormir, blotti dans mes bras, et ce sera tellement meilleur que le sommeil. Comprends-tu, sais-tu la merveille que tu es pour moi ?

LOT

Je sais seulement que je ressemble à ma mère.

MUGUETTE

Pour moi, tu ne ressembles qu'à toi. Tu es le premier, le plus beau, le seul et le plus chic de tous. Une peau, des yeux, des cheveux à faire rêver n'importe quelle fille. Et une bouche comme une fleur. Embrasse-moi. (*Il se laisse embrasser.*) Ah... Je pourrais passer ma vie à t'embrasser !

LOT

Mais moi je mourrais, asphyxié.

MUGUETTE

Tu es aussi chic, aussi joli que ce petit salon.

LOT

Tu vas me promettre une chose. Si Poulet te le demande, et quand il sera saoul, il te le demandera sûrement...

MUGUETTE

Si ce Poulet me pose des questions, je lui fermerai le bec, tu verras.

LOT

Il y a une chose que tu ne dois pas lui avouer, s'il te le demande.

MUGUETTE

Quoi donc, mon chéri ?

LOT

Que je suis...

MUGUETTE

Que tu es... quoi ?

LOT

Que je ne suis pas un champion, au lit... Dis-lui que je
te rends heureuse.

MUGUETTE

Mais voyons, mon chéri, ce ne sera pas un mensonge.
Ces histoires de sexe, ça ne consiste pas seulement à faire
la bête à deux dos sur un manche à balai. Tu le sais bien,
ou tu devrais le savoir.

LOT

Je serai plus brillant quand j'aurai retrouvé mes forces,
mais en attendant... joue les femmes comblées. Avec un
peu d'avance. Enfin, si Poulet t'en parle, bien sûr.

MUGUETTE

Oh, toujours ce Poulet, qui souffle comme un chien et
qui se barricade dans la cuisine ; tu t'imagines que j'irais
lui parler de nous et de notre amour, à cet homme-là ?
Tout ce que je lui demande, c'est d'ouvrir la porte pour
que je puisse enfin sonner cette femme-là, cette Clara. Je
vais te la faire venir, et en vitesse, moi. Pour commencer,
il faudra qu'elle rentre tous ces appareils qui sont en train
de rouiller dans la voiture, avec un temps pareil.

LOT

Voyons, Muguette, je t'ai déjà dit que tous les Noirs
fichent le camp dans les collines, dès que les inondations

commencent. Ils ne redescendent pas avant que le danger soit passé.

MUGUETTE

Mais nous, alors, qu'est-ce qu'on fait ici ? C'est dangereux !

LOT

On va tâcher de limiter les dégâts, s'il y en a. Tu es ici chez toi, c'est ta maison. Tu ne voudrais tout de même pas l'abandonner ?

MUGUETTE

Une maison ! Avant qu'elle ne me tombe du ciel, je ne savais pas ce que c'était que d'avoir une maison à moi, je n'y avais même jamais pensé. Une maison, un foyer, de la terre, et un amour de petit salon, joli, mignon comme toi.

(Pendant ce dialogue, Poulet a l'oreille collée à la porte de la cuisine. De temps en temps, il répète avec fureur certaines phrases qu'il entend.)

LOT

Mignon... Justement, Poulet me traite de tapette.

MUGUETTE

Eh bien, il ferait mieux de ne pas essayer de le dire devant Muguette, parce que je lui riverais son clou, moi ! Ça, tu peux être tranquille !

LOT

Chut ! Mets la sourdine... Poulet nous écoute... Est-ce que tu serais vraiment capable de lui tenir tête ?

MUGUETTE

Qu'est-ce que tu paries ? Je ne connais pas encore d'homme qui m'ait résisté.

LOT

Tu ne le connais pas.

MUGUETTE

Non, mais je vais le connaître... quand il sortira de cette cuisine...

LOT

Il ne va plus tarder. La nuit commence à tomber et je l'ai entendu poser sa bonbonne sur la table.

MUGUETTE

Parfait. Je l'attends de pied ferme. La rencontre aura lieu quand il voudra, et je n'irai pas par quatre chemins. Qui est-ce qui sera la maître ici, ce Poulet ou moi ?

LOT

La maison m'appartient, et tu es ma femme.

MUGUETTE

C'est ce que je voulais te faire dire. Donc ce rôle-là, c'est à moi qu'il revient.

LOT

Tu succèdes à Miss Lottie. Elle menait la maison, tu dois la mener après elle.

MUGUETTE

Bon. Eh bien, c'est entendu.

LOT

Il faudrait. Parce que Poulet n'est pas mon frère, c'est mon demi-frère seulement. C'est pour ça que le domaine me revient. Il est à moi.

MUGUETTE

Vous n'aviez pas le même papa ?

LOT

Si, mais on n'avait pas la même mère. Dieu merci ! *(Poulet se cabre comme un cheval sauvage.)* Maintenant, il va sortir !

> *(Poulet sort lentement de la cuisine et pénètre dans l'entrée, toujours plongée dans l'obscurité.)*

MUGUETTE

Oui, je l'entends qui vient. Allons à sa rencontre.

LOT

Non, reste-là. Ne bouge pas, et rappelle-toi bien que tu es la maîtresse, ici.

> *(Poulet reste immobile dans l'entrée, l'oreille aux aguets.)*

MUGUETTE

Ça me fait un drôle d'effet.

> *(Lot tire un fume-cigarette en ivoire de la poche de son manteau, y place une cigarette et l'allume d'une main tremblante.)*

MUGUETTE, *avec nervosité.*

C'est merveilleux d'avoir un salon avec des chaises dorées !

LOT

Ce qui est merveilleux, c'est d'avoir une femme à la maison...

MUGUETTE

Je dois avoir des hallucinations.

LOT

Pourquoi ?

MUGUETTE

Je... j'avais cru entendre des pas dans l'entrée...

LOT

Des pas d'homme ou de bête ? (*Poulet ouvre la porte du salon.*) Ah ! ... Bonjour, Poulet. Enlève ces bottes pleines de boue avant d'entrer ici.

> (*Poulet ne tient pas compte de cette observation et pénètre dans la pièce. Muguette se lève, mal à l'aise, mais Lot reste assis, un sourire glacial aux lèvres, le visage noyé dans la fumée de sa cigarette.*)

POULET

Ils t'ont relâché ?

LOT

Je n'étais pas enfermé. Un hôpital, ce n'est pas une prison. On m'a simplement renvoyé chez moi.

POULET

Ils ne pouvaient plus rien pour toi ?

LOT

Non, on m'a renvoyé parce que j'étais guéri.

POULET

Je vois... Et qui c'est celle-là ?

LOT

Tu veux sans doute parler de Madame. Madame est ma femme. Muguette, je te présente Poulet. Poulet, Muguette.

POULET

Qu'est-ce que vous êtes venus faire ici, tous les deux ?

LOT

Nous avons nos raisons.

POULET

Comme ça, en pleine crue ?

LOT

Justement. Je tenais à ce que l'on mette les affaires de ma mère à l'abri avant que le rez-de-chaussée soit inondé.

POULET

A quoi ça servira s'il y a de l'eau jusqu'au grenier ?

MUGUETTE

Oh, mon Dieu, j'espère que ça n'ira pas si haut que ça ?

POULET

On voit que vous ne savez pas ce que c'est !

MUGUETTE

Non, mais je sais que l'eau ça me fait une peur bleue.

POULET

Alors, comment ça se fait que vous soyez arrivée jusqu'ici ? Vous avez pourtant dû passer sur des routes pleines de flotte du côté de Beauregard ?

MUGUETTE

J'ai supplié Lot de faire demi-tour, mais il n'y avait pas moyen de l'arrêter, cette maison, c'était son idée fixe. Il ne voulait pas en démordre.

POULET

Moi, je peux vous dire une chose. C'est que demain, les deux étages seront sous l'eau cette fois-ci. (*Muguette pousse un long et bruyant soupir, exprimant angoisse et consternation.*) Il y en a déjà dix mètres à l'île des Moines, et ça continue de monter au-dessus de Memphis. En plus, ces salopards de Potter sont venus me prévenir que le père Sikes va dynamiter sa digue ce soir. Alors vous, ça... vous arrivez au bon moment.

MUGUETTE

Lot, mon petit, je crois qu'on devrait repartir tout de suite.

LOT

Non. On est chez nous, on y reste. Tout ça, c'est pour nous effrayer. (*A Poulet.*) Et toi, d'ailleurs, tu n'as qu'à t'en aller si ça te fait tellement peur, cette crue !

POULET

Moi, je ne peux pas m'en aller. Tu sais bien qu'on a un accord tous les deux. Tu l'as pas oublié ?

LOT

A ce moment-là, je n'étais pas marié. Maintenant, c'est différent.

POULET, *à Muguette.*

Vous êtes son infirmière ?

MUGUETTE

Mais non, je suis Mme Lot Ravenstock ; je suis Mme Lot Ravenstock depuis hier matin.

POULET

Il y a des tas de malades qui épousent leur infirmière, enfin qui vivent comme mari et femme, quoi.

MUGUETTE

Nous, nous sommes mariés, et je n'ai jamais été infirmière. Ça, je dois dire, j'ai rarement vu des frères qui se ressemblaient aussi peu que vous deux.

POULET

On est demi-frères.

LOT

Poulet est beaucoup plus... brun. Tu ne t'en es pas aperçue ?

MUGUETTE

Il fait si sombre, dans cette pièce...

POULET

C'est parce que moi je travaille aux champs, pendant que Lot se tourne les pouces dans son lit.

LOT

... Je voudrais bien un peu de café chaud.

POULET

Il y en a dans la cuisine.

(Il retourne dans la cuisine.)

MUGUETTE

Lève-toi, Lot. Viens.

LOT, *sans quitter le canapé.*

Qu'est-ce qu'il t'a fait comme impression ?

MUGUETTE

Je ne peux pas dire que ce soit une surprise agréable, et je me demande surtout pourquoi tu ne m'avais jamais parlé de lui, ça m'aurait un peu préparée, mais...

LOT

Ne te laisse pas impressionner.

MUGUETTE

Les hommes ne m'effraient pas. Celui-là pas plus que les autres, je te promets.

POULET, *à la porte de la cuisine.*

Alors, vous ne voulez pas de café ?

MUGUETTE

On arrive.

LOT, *se relevant en chancelant.*

S'il s'aperçoit qu'il peut te raconter des histoires pour te terroriser, il ne s'en privera pas, alors, rappelle-toi bien...

qu'on est deux contre un, et que la maison est à nous. (*Ils vont à la cuisine la main dans la main. Poulet pose des quarts d'étain sur la table.*)... Muguette et moi, nous prendrons le café dans les tasses de porcelaine.

POULET

Elles sont toutes cassées.

LOT

Tu as cassé les tasses de Maman ?

MUGUETTE, *à Lot.*

Mais, mon chou, la porcelaine ça se casse tout seul, personne ne le fait exprès, sauf quand on se bat avec. C'est... j'aime bien notre cuisine. Il n'y a que cette femme nue sur le mur, là-bas, qui n'ajoute rien.

POULET

Vous êtes jalouse ?

MUGUETTE

Je trouve que c'est plutôt triste, quand on est un grand gaillard comme vous, de s'amuser à regarder ça ; vous n'êtes plus un gosse tout de même. Inutile de vous demander si vous êtes marié, d'après ce que je vois.

POULET

Lot et moi, on est célibataires, tous les deux.

MUGUETTE

Vous êtes peut-être célibataire, mais mon petit chou ne l'est plus.

POULET

Votre petit chou, il est bien plus célibataire que moi.

MUGUETTE

Je suis là pour vous prouver le contraire.

POULET

Ouais. Comment vous vous appelez, déjà ?

MUGUETTE

Muguette Kane, mais c'est mon nom de jeune fille. Maintenant je suis devenue Mme Lot Ravenstock, devant le pasteur.

POULET

Il y a combien de temps que vous êtes son infirmière ?

MUGUETTE

Mais je ne suis pas son infirmière. Vous y tenez !

LOT

Ça fait deux jours qu'on est mariés.

MUGUETTE

Georgia, ma copine, elle m'a dit : « Tu les prends au berceau, ma parole, tu l'as trouvé dans une pouponnière... » (*Son rire ne trouve aucun écho.*) Et je m'étais toujours vantée d'avoir la tête froide ; je disais que les coups de foudre c'était pas mon genre, mais j'ai flambé rien qu'à le voir, ce garçon-là... Ça, je dois dire qu'il m'a complètement retournée.

LOT

Donne-nous du café, Poulet.

POULET

T'as qu'à te servir. La cafetière est sur le feu. (*Il regarde Muguette, posément : une évaluation.*) Alors, comme ça, vous travaillez... dans les hôpitaux ?

Muguette faisait du music-hall.

MUGUETTE

Pourquoi voulez-vous à tout prix que je sois infirmière ? J'ai bien soigné un vieux bonhomme jusqu'à sa mort, comme ça, pour rendre service, une fois. Mais ce n'est pas mon métier, Dieu merci.

(Elle verse le café dans les trois gobelets.)

POULET

Alors, comme ça, vous faites du music-hall ? Tiens !

MUGUETTE

Oh ! j'en ai fait des métiers, dans ma vie ! Tous honnêtes ! (*Elle rit avec jovialité et donne une petite bourrade à Poulet.*) Ça, je peux dire que j'en ai vu des vertes et des pas mûres ! Il y a eu des moments où je me la coulais douce, et puis il y en a eu d'autres, plutôt coriaces. Enfin, des hauts et des bas, quoi ! Mais j'ai toujours gardé la tête au-dessus de l'eau, ça je peux m'en vanter. Ma barque, c'est moi qui l'ai menée toute seule. Je n'ai jamais eu besoin de me faire entretenir. Ça, jamais. Je me suis tirée d'affaire toute seule. Je peux le jurer, cracher, si vous ne me croyez pas, et je n'ai jamais rien envié à personne. Moi, je vous le dis. Ma vie ? Je vais vous la raconter, ma vie, mais c'est pas une petite histoire, je vous prie de croire, non, c'est pas une petite histoire...

LOT

Muguette ?

MUGUETTE

Hein ? Qu'est-ce qu'il y a, mon chou ?

LOT

Je crois qu'il serait temps de rentrer tous tes appareils électriques. Ils vont moisir.

MUGUETTE

Ne t'inquiète pas. On va s'en occuper, ton frère et moi. Avant, il veut que je lui raconte ma vie, alors je vais le faire. Ça peut t'intéresser, toi aussi.

LOT

Ça aurait pu, si ce n'était pas la seconde édition.

> *(Il se laisse choir sur une chaise et ferme les yeux. Ses paupières sont violacées. Il oscille un peu, comme s'il allait tomber de sa chaise.)*

MUGUETTE

Oh, mais, mon chou, je vais seulement survoler. Tu vas voir. Les grandes lignes, quoi, c'est tout. A quinze ans, j'ai commencé par tenir un photomaton sur une plage, dans le Texas. Après — vous n'allez pas me croire, mais c'est aussi vrai que je suis là... — j'ai fait la femme sans tête dans un stand d'attractions. Du chiqué, bien sûr, rien qu'avec des glaces. J'étais assise sur une chaise, et je faisais semblant d'avoir perdu la tête ; une histoire de reflets. Mais alors, à s'y tromper !

LOT

Écoute, Muguette, si tu sautais au music-hall ?

MUGUETTE

Mais, mon chou, c'étaient mes débuts au music-hall, ça, et j'y ai laissé mon cœur.

POULET

... Qu'est-ce qu'elle raconte ?

LOT, *répétant machinalement, dans un demi-sommeil.*

Muguette faisait du music-hall.

POULET

Hein ?

LOT, *élevant un peu la voix.*

Montre-lui donc ta photo dans « Les pétards d'Alabama ».

MUGUETTE

Oh, cette vieille photo de publicité ! Je ne sais même pas si je l'ai encore.

LOT

On ne se connaissait pas depuis trois minutes que tu me l'avais déjà montrée.

MUGUETTE

Je vais voir si je ne l'ai pas perdue.

LOT

Tu l'as rangée dans ton sac à main.

MUGUETTE

Ma boîte de Pandore !

POULET

Sa boîte de quoi ?

MUGUETTE, *avec une certaine excitation.*

On se reprend un petit café, et en avant, marche ! On retourne là-bas ; il est si joli ce petit salon. Je vous montrerai la photo, et puis je vous raconterai qui c'était, « Les pétards d'Alabama ». Allez, on y va, les enfants...

> *(Elle met les trois gobelets sur un plateau et va dans le salon où elle les dispose sur la table, devant le canapé. Lot et Poulet restent dans la cuisine.)*

POULET

Fallait qu'une folle pour se marier avec toi ; t'as mis dans le mille.

LOT

C'est la jalousie qui te ronge le foie, Poulet ?

MUGUETTE

Ça y est, les gars, j'ai retrouvé ma photo. Venez par ici que je vous montre ça.

POULET

Elle veut que tu te soulèves de ta chaise et que tu ailles dans le salon de Miss Lottie, si tu peux.

LOT

Bien sûr que je peux. Ce n'est pas difficile.

> *(Il se lève et tombe à genoux. Poulet rit et le remet sur pied.)*

POULET

Tu pourras marcher tout seul, ou il faut que je te porte ?

LOT

C'est ce voyage qui m'a crevé ; c'était trop long.

MUGUETTE

Alors, les enfants ? Vous venez ?

POULET

Depuis que tu es arrivé, je parie qu'il y a un vautour qui tourne au-dessus de la maison.

> (*Il quitte Lot et va dans le salon. Lot s'appuie un instant à la table de la cuisine, puis, après avoir rassemblé ses forces, il le suit dans le salon. Muguette n'a eu aucune difficulté à retrouver sa photo publicitaire. Elle la contemple avec le plaisir toujours nouveau que ce document n'a jamais cessé de lui procurer. Poulet entre au salon. Elle se tourne vers lui et lui tend la photo, avec un sourire engageant. Poulet prend la photo et la regarde, sans cacher son fébrile intérêt. Consciemment ou non, il laisse tomber l'une de ses grosses pattes sales sur la fourche de son pantalon, que ses cuissardes font ressortir.*)

MUGUETTE

Eh bien, voilà. Voilà, c'est nous. (*Lot s'assied précautionneusement sur l'une des chaises dorées.*) C'est nous devant *Le Petit Matin*, une auberge de Tallahassee... en Floride. Vous voyez, c'est en couleur.

POULET

Oui, je vois bien les couleurs. Mais les pétards, qu'est-ce qu'ils sont devenus ? Ils ont explosé ?

MUGUETTE

C'est triste, ce que vous me demandez là. Ce qu'elles sont devenues, les pauvres filles ? Vous voulez que je vous le dise ?

(Elle paraît sincèrement navrée.)

POULET

Ben, puisque je vous le demande. Et puis, de toute façon, vous l'auriez dit...

MUGUETTE, *elle se mouche et se tamponne les yeux.*

Eh bien, celle de droite, là, cette grande rousse, on l'appelait « La Vénus de Milo ». (*Poulet pousse un grognement... qui exprime son intérêt.*)... On a retrouvé son corps en morceaux sous un pont de chemin de fer il y aura trois ans cet été. (*Poulet grogne à nouveau.*) Ça ne vous brise pas le cœur, une chose pareille ?

POULET

Non.

MUGUETTE

Ce devait être un vicieux, sûrement. Il l'a découpée, et puis il a emballé les morceaux dans des journaux ; vous avez dû en entendre parler, à l'époque. Je vous assure, ça m'a fait un coup au cœur. Elle était si vive, si vivace, si vivante ! Et *drôle*, avec ça ! La Milo, c'était le cirque en permanence.

POULET

Ouais. Eh bien, le cirque, c'est fini, maintenant.

MUGUETTE

Celle-ci, à côté d'elle, cette petite mignonne qui n'a pas vingt ans, son nom de scène c'était « La tornade de la Côte »... Elle a voulu se faire avorter, et puis...

POULET

Et puis elle est morte ?

MUGUETTE, *se mouchant à nouveau.*

Elle n'est plus de ce monde, mon pauvre, que Dieu ait sa petite âme. Et celle-là, on l'appelait « La Texane explosive » : je crois bien que c'est celle qui a eu la fin la plus triste. Elle a avalé un flacon de somnifères, un soir, dans un hôtel du Kansas.

POULET

C'était un suicide ?

MUGUETTE

Vous savez, quand on avale des somnifères, ce n'est pas pour se lever tôt le lendemain matin... Oh, et celle-là, mon Dieu, « L'ouragan de minuit », elle s'appelait. Elle s'est mise à se droguer. Voyez-vous, on habitait la même petite baraque, toutes les cinq, pour partager les frais, vous comprenez, et alors, un soir, comme ça, je me suis trouvée à passer devant sa porte. J'ai senti une forte odeur d'encens. Alors j'ai frappé et elle m'a répondu, d'une drôle de voix : « Qui est là ? » J'ai dit : « C'est moi, Muguette. » « Ah bon, entre. » Alors je suis entrée ; elle était en train de fumer une longue cigarette ; et elle faisait brûler de l'encens sur sa table de nuit. Je lui dis : « Qu'est-ce que tu fumes ? » Elle me répond : « C'est du foin. Prends donc une sèche avec moi. » Mais j'ai eu l'instinct de refuser.

LOT

Je suis fatigué. Montons, maintenant.

MUGUETTE, *le serrant dans ses bras.*

Repose-toi sur ta Muguette, mon chéri, et laisse-moi finir mon histoire. A cette époque-là, je ne connaissais rien à tout ça, mais je voyais bien qu'il y avait quelque chose qui ne tournait pas rond, chez elle.

Ah bon ?

MUGUETTE

Elle était déjà sur la mauvaise pente. Alors les autres filles et moi on en a discuté, et puis on s'est tout de même décidées à lui demander de s'en aller. On l'a fait à contre-cœur, vraiment, mais il le fallait bien. On ne voulait pas avoir des descentes de police à la maison. On était des filles propres, nous autres, et c'est plutôt rare au music-hall... Là, c'est moi, « La môme Risque-Tout », la seule qui ait eu de la chance dans le lot... Enfin, une fois ou deux elle a bien failli me lâcher, mais j'ai tout de même réussi à m'en sortir.

POULET

C'est vous la môme Risque-Tout ?

MUGUETTE

C'est comme ça qu'on m'avait baptisée.

POULET

A l'église ?

MUGUETTE

Mais non, voyons. C'est comme ça qu'on m'annonçait quand j'entrais en scène.

POULET

Vous êtes montée sur une scène ?

MUGUETTE

Oui, très souvent, dans des tas d'endroits.

(Elle remet la photo dans son sac en faux cuir.)

POULET

Et les gens, qu'est-ce qu'ils criaient : « A poil ! » ou « Va te rhabiller ! » ?

> *(Poulet a un sourire un peu féroce en évaluant ses charmes du regard. Muguette rit de bon cœur, mais avec un soupçon de désarroi.)*

LOT

Muguette a quelque chose qui plaît au public.

POULET

Ah oui ?

LOT

Elle a eu un triomphe à la télé. Je l'ai vu, je l'ai entendu. J'y étais. Je passais une audition pour... *(Il pousse un profond et douloureux soupir.)* Pour être présentateur... à « Memphis-panorama ».

POULET

Et t'as eu un triomphe, toi aussi ?

LOT

On m'a... posé... des questions, et puis...

> *(Il hausse légèrement les épaules et introduit une cigarette dans son fume-cigarette d'ivoire.)*

POULET

Et puis après, tu t'es dit que tu ferais mieux de revenir ici ? Avec une strip-teaseuse pour te dorloter ?

MUGUETTE

Écoutez, c'est déplaisant, et ce n'est pas malin, comme insulte.

POULET

J'ai dit quelque chose de faux ?

LOT

Tu as dit quelque chose de faux et de blessant.

MUGUETTE

Je suis une artiste. C'est mon talent que j'offre au public... surtout.

POULET

Oui, pour sûr ! On lève la jambe, mais c'est avec la fente qu'on fait des sous.

MUGUETTE

Écoutez, ce n'est pas la peine de vous forcer. Les réflexions de ce genre, je ne les entends même pas !

LOT

Poulet, maintenant que je suis rentré chez *moi*, dans *ma* maison, sur *mes* terres, avec *ma* femme, je ne supporterai pas qu'on lui dise des choses immondes, même si ça devait nous obliger à nous séparer de toi.

POULET

Ah, tu veux que je m'en aille, à présent ?

MUGUETTE

Mon petit Lot n'a pas voulu dire ça.

POULET

Alors, qu'est-ce qu'il a voulu dire, votre « petit Lot » ?

MUGUETTE

Simplement que dans ce joli petit salon, sous un beau lustre comme ça, il pense, et moi aussi, qu'il faut se parler et se conduire comme des gens bien élevés... qu'on est.

LOT

Je voudrais aller me coucher, pendant que j'en ai encore la force.

POULET

Ton infirmière va t'aider.

MUGUETTE

Lot, montre notre licence de mariage à ton frère, qu'il voie que c'est vrai.

(Lot montre le document.)

POULET

Ah, bien, merde alors, des trucs comme ça on en trouve à deux ronds dans les bazars, quand on en a besoin pour aller baiser une bonne femme dans un motel.

MUGUETTE

Cette licence est vraie, et si vous ne me croyez pas, vous n'avez qu'à vous renseigner à la télé de Memphis ; c'est là qu'on s'est mariés.

LOT

Muguette et moi nous nous sommes mariés à la télévision, hier matin.

POULET

Cette histoire-là, j'y crois autant que si tu venais me raconter que t'es plus tubard et que t'es devenu fort comme une paire de bœufs.

MUGUETTE

Voulez-vous que je vous dise comment ça s'est passé ?

POULET

C'est ça. J'adore les histoires drôles.

MUGUETTE

Mais ce n'est pas une histoire.

LOT

Laisse-moi m'étendre sur le canapé.

MUGUETTE

Allonge-toi, mon chéri, et pose ta tête sur mes genoux pendant que je raconte à ton frère ce qui nous est arrivé à Memphis, avant-hier. (*Lot s'allonge sur le canapé et pose sa tête sur les genoux de Muguette. Tout en parlant, elle lui caresse le front et les cheveux.*) Pour commencer par le commencement, il faut que je vous dise que je n'avais plus beaucoup de veine, depuis quelque temps. C'est comme ça, la chance, ça va, ça vient, on ne sait pas pourquoi. On a beau essayer de la mériter en vivant comme une sainte, il faut prendre ses épreuves en patience. Il suffit d'attendre, puisqu'on dit qu'elle est aveugle, la chance, pas vrai ?

POULET

Dites donc, n'en faites pas un roman !

MUGUETTE

Bon, eh bien alors, avant-hier, je me trouvais dans la rue à Memphis, je n'avais rien à faire de spécial, et je vois une queue, rien que des femmes. Alors je me suis dit : « Muguette, ces femmes-là, elles attendent sûrement quelque chose, et s'il y a tant de monde, c'est que ça doit en valoir la peine. » Hein ?

POULET

Oui, oui. Allez-y, continuez.

MUGUETTE

Je me suis donc mise dans la queue avec les autres, et tout d'un coup, comme ça, il y a un petit bonhomme, un youpin sûrement, qui vient nous fermer la porte au nez et qui se met à crier : « Mesdames, le studio est plein, c'est fini pour aujourd'hui. » Tout le monde a fait « Oooh », mais moi j'ai dit : « Monsieur, je ne sais pas de quoi il retourne, mais je veux être dans le coup ; ça fait deux heures que j'attends, je veux entrer. » Je l'avais agrippé par la manche, je ne le lâchais plus. Alors il m'a regardée d'un drôle d'air, et il a dû voir quelque chose en moi qui lui a plu puisqu'il m'a dit : « Regardez bien par où je passe, ma petite, et suivez-moi dès que vous pourrez le faire sans être vue. » Il m'avait pratiquement chuchoté ça, du coin de la bouche. Alors, je suis sortie de la queue, je l'ai vu disparaître dans un petit passage derrière le studio, et je l'ai suivi. Je suis entrée après lui par la porte de secours, et savez-vous où je me suis retrouvée ? En plein sur un plateau de télévision ! J'étais là, paf ! au beau milieu d'une émission. Alors, ce petit bonhomme rond comme une pomme, il m'a prise par le coude, il me tenait, fallait voir, une anguille à l'huile s'en serait pas dépêtrée, et avant que j'aie eu le temps de m'en rendre compte, devinez ce que je faisais ?

Une petite passe en vitesse ?

J'étais devant un micro avec des caméras et des projecteurs partout, en train de raconter ma vie et mes malheurs sur les ondes. Je me suis mise à pleurer, et ils ont tous éclaté de rire ; le studio entier croulait de rire. Ça alors, quand je faisais mon numéro de la môme Risque-Tout, si j'avais emballé une salle comme j'ai emballé le public de la télé, je vous promets que j'aurais eu mon nom en lettres lumineuses à Broadway, il n'y a pas de doute, et grandes comme ça, les lettres !

POULET

D'accord, mais cette histoire, ça vient ?

MUGUETTE

J'ai sangloté, j'ai pleuré, ça me rendait folle de les entendre rire. Vous imaginez ce que c'est que de déballer ses tripes devant des gens qui se fichent de vous ? Alors je n'ai pas pu me retenir, c'était plus fort que moi, j'ai gueulé : « Qu'est-ce qu'il y a de si drôle ? » A ce moment-là, le petit bonhomme qui m'avait fait entrer a marmonné quelque chose au présentateur de l'émission, et avant que j'en sois revenue, j'étais assise sur un trône d'or, avec une grosse couronne de diamants sur la tête, tout le monde applaudissait, et le type s'est mis à crier : « Vive la reine ! vive la reine !... » (*Elle fait un grand geste.*) « Gloire à toi, reine d'un jour ! »

LOT

Abrège un peu, Muguette.

186

MUGUETTE, *sans prêter attention à cette remarque.*

Je vous assure, j'aurais voulu disparaître sous le plancher jusqu'aux égouts quand j'ai compris. Moi qui étais là par hasard, moi qui étais tombée du ciel, il avait suffi que je dise ce que j'avais sur le cœur devant des tas d'inconnus pour qu'on me choisisse comme reine, qu'on me sélectionne...

LOT

Mais, moi, j'étais là dans la salle.

MUGUETTE

Oui, c'est vrai, il était là, mon chéri adoré. Mais je ne le connaissais pas encore. Alors, ensuite, il a fallu que je choisisse entre la catégorie « Star » et la catégorie « Confort ».

POULET

Tu parles d'une affaire !

MUGUETTE

Oui, pas vrai ? Alors, dans la catégorie « Star », on vous envoie à Hollywood, première classe en avion, avec un tailleur d'après-midi et une robe du soir, on vous offre une séance chez le coiffeur des vedettes, et on passe huit heures à trinquer dans les endroits sélects avec des célébrités. La catégorie « Confort », ce n'est pas pareil, mais on vous fait cadeau d'un vrai petit magot en appareils ménagers. Alors, moi, qui ai fait du music-hall, Hollywood, forcément, c'était mon rêve, comme tout le monde, mais...

LOT

Dis-lui pourquoi tu as laissé tomber. Raconte notre mariage à l'émission nationale.

MUGUETTE

J'y arrive.

POULET

Plutôt lentement.

MUGUETTE

Laissez-moi le temps, si vous voulez savoir ce qui s'est passé !

POULET

Faudrait pas que ça dure jusqu'à minuit.

MUGUETTE

Mais non, maintenant c'est la grande scène, le grand moment de ma vie. Bien sûr, j'avais choisi la catégorie « Star », et mon couronnement était presque terminé quand je sens quelqu'un qui me touche le bras. Je me retourne, j'avais toujours ma robe et tout, et j'aperçois mon petit trésor, que je n'avais encore jamais vu. Des cheveux dorés, une voix douce, un ange ! J'ai eu le coup de foudre au premier coup d'œil : vlan ! un éblouissement, et ça y était. Il m'a dit : « Pourriez-vous me signer un autographe, s'il vous plaît ? » Quand il m'a demandé ça, c'est comme si l'amour m'avait visée en plein cœur ; j'avais attrapé le virus... On a pris rendez-vous, et là, il m'a dit qu'il avait le virus, lui aussi ; on avait eu le coup de foudre tous les deux en même temps. Alors, j'ai téléphoné à la télé, je leur ai raconté ce qui m'arrivait, et, comme j'allais me marier, je leur ai demandé si je ne pourrais pas changer de catégorie, parce que ces appareils ménagers, du coup, ils faisaient bien mon affaire. Ils ont accepté tout de suite, et ils m'ont même proposé de me marier à la télévision : « Si ça vous plaît, on vous fournira une robe blanche en dentelles et une gerbe de lis », ils m'ont dit.

LOT

Et voilà ! A midi, le lendemain, on s'est mariés à la télé.

POULET

C'était du cirque. Vous avez fait semblant, pour tromper le monde, hein ?

MUGUETTE

Si c'était du cirque, je peux vous dire que nous, on y a cru.

LOT

Non, non, c'était un vrai mariage, avec un pasteur très connu qui fait des laïus partout.

MUGUETTE

Assez de discussions. Je retourne à la cuisine chercher la cloche. (*Elle se dirige vivement vers la cuisine, s'empare d'une cloche à vache posée sur la table de la cuisine et revient au salon, la cloche à la main.*) C'est ça, la cloche pour les appeler, ces Noirs ? (*Poulet lui jette un long regard surpris.*) Je vais aller dehors les sonner. Il faut qu'ils me rentrent mes appareils avant qu'ils soient complètement rouillés. J'ai... j'ai une machine à laver, même deux, une pour le linge et une pour la vaisselle, j'ai un... un fer à friser, un séchoir et un casque, j'ai aussi un radiateur, une couverture chauffante et un combiné portatif télé-radio ; enfin, tellement de choses qu'on a eu du mal à les faire tenir dans la voiture. Vous allez voir ça quand les Noirs les auront déchargés pour qu'ils sèchent, on pourra les brancher.

POULET

Oui, on verra ça. Vous n'avez qu'à sortir pour sonner. Allez-y fort, et longtemps, parce que là où ils sont, ils entendront mal.

> (*Muguette sort sur les marches de la cuisine et fait tinter la cloche, tandis que Poulet et Lot se regardent en silence. Elle sonne fort et*

longtemps, comme on le lui a recommandé.
Seuls lui répondent le mugissement du vent et
la vague lueur d'un éclair lointain.)

LOT, *se décidant à rompre le silence.*

J'imagine que je t'ai étonné.

POULET

J'en connais un qui va l'être bien plus que moi.

LOT

Qu'est-ce que tu veux dire ?

POULET

Si je te le disais, ce ne serait plus une surprise, tu ne crois pas ?

(Muguette reparaît.)

MUGUETTE

J'ai sonné, sonné, sonné, sans résultat.

POULET

C'est pas la peine de vous en faire. Vous ne pourrez pas monter toute votre quincaillerie sur le toit quand la maison sera sous la flotte.

LOT

N'essaie pas de faire peur à ma femme en parlant tout le temps de cette inondation.

MUGUETTE

Oh, je n'ai pas peur du tout, parce que je ne crois pas, et je ne peux pas croire qu'un homme sensé resterait dans cette maison, s'il pensait vraiment qu'elle va être inondée. Mais maintenant, qui est-ce qui va m'aider à rentrer mes cadeaux ?

POULET

Votre « mari d'un jour » n'a qu'à le faire.

LOT

Poulet va t'aider.

POULET

Ah non, Poulet ne vous aidera pas !

MUGUETTE

Je vous remercie infiniment tous les deux. Je vais rentrer ce que je peux porter toute seule.

(Elle sort.)

LOT

Aide-la. Après tout, tu continues à travailler dans la maison.

POULET

Tu parles ! Mon cul, oui !

LOT

Essayons d'oublier le passé, pour que l'avenir... soit... supportable.

POULET

Il n'y a plus d'avenir pour toi. J'ai parlé avec ton médecin avant de signer le papier. Tu vois ce que je veux dire ? Le contrat paraphé, enregistré, etc., qui me laisse tout, quand tu prendras ton aller simple pour le Paradis... Il ne quitte jamais mon portefeuille, ce papier-là. (*Il tape sur la poche de son blouson de cuir.*) Ça m'intéressait de savoir combien de temps il faudrait attendre. J'ai téléphoné à ton toubib à Memphis, et je lui ai demandé des nouvelles de tes poumons. Il m'a répondu qu'il y en avait un qu'était mort et que l'autre n'en avait plus pour longtemps ; six mois au maximum. Ça fait juste six mois.

> (*Muguette reparaît, les bras chargés d'appareils électriques.*)

MUGUETTE

J'ai sorti ce que je pouvais porter toute seule ; il faudra qu'on m'aide pour le reste, c'est trop lourd.

> (*Elle entre dans le salon. Les deux hommes ne lui prêtent aucune attention. Elle pose ses appareils par terre, comme si elle n'y attachait plus d'importance, consciente de la tension qui règne entre les deux frères. Une lumière triste, blafarde, tombe sur la maison.*)

POULET

Tu lui as dit, à cette femme, que tu crachais du sang ?

MUGUETTE

Tu saignes ? Lot, mon petit chou, tu saignes ?

POULET

Oui, c'est un petit chou au sang. Il saigne comme un poulet quand on lui a coupé le cou. Moi, on m'appelle Poulet, mais lui, c'est le poulet sans tête. Oui, il saigne, il saigne, il pisse le sang. Oh, ce n'est pas qu'il soit tubard, non !... c'est pour faire des dons à la Croix-Rouge, mais la Croix-Rouge, faut croire qu'elle n'a pas assez de seaux... elle en laisse perdre... du sang...

(Lot se jette soudain sur Poulet. Celui-ci le repousse presque doucement, et Lot tombe par terre. Puis il se relève et sort en titubant. Il se hisse péniblement jusqu'au premier étage par l'étroit escalier.)

MUGUETTE

Je ne comprends pas. Qu'est-ce qu'il y a ?

POULET, *se moquant d'elle.*

« Je ne comprends pas. Qu'est-ce qu'il y a ? »

MUGUETTE, *montant les premières marches de l'escalier à reculons.*

Mais vous me faites peur !

POULET, *même jeu.*

« Mais vous me faites peur ! »

MUGUETTE, *montant quelques marches de plus.*

Je monte retrouver Lot.

POULET, *même jeu.*

« Je monte retrouver Lot. »

(Muguette a un sursaut d'angoisse et grimpe l'escalier pour rejoindre Lot dans la chambre du premier. Elle se cramponne à son bras.)

MUGUETTE

Je n'ai jamais eu si peur de ma vie !

LOT, *il est triste, pensif, le regard perdu au ciel.*

Mon médecin lui a dit... que j'allais mourir.

193

MUGUETTE

Tout d'un coup il s'est mis à se moquer de moi, à répéter tout ce que je disais, comme un perroquet, tout ce que je disais.

LOT

Tu te rends compte ? Je vais mourir.

MUGUETTE

Oh, allons-nous-en ! Il n'y a qu'à prendre la voiture et retourner à Memphis.

LOT

Ce n'est pas possible, Muguette.

MUGUETTE

Pourquoi pas ? Qu'est-ce qui nous empêche de repartir ?

LOT

C'est que je vais mourir, tout simplement...

> (*Il la regarde avec un petit rire étonné, lugubre. La lumière s'estompe peu à peu.*)

SCÈNE II

Une lampe à pétrole éclaire la chambre du premier étage. Le crépuscule colore la maison, un crépuscule vert pomme : le ciel se dégage après la pluie. On entend l'eau courir dans les gouttières, avant de se déverser dans un tonneau moussu, près de la porte de la cuisine. Des crapauds et des grillons, peut-être, font entendre leur chœur morne et intermittent, contrepoint ironique de la conversation entre les deux personnages en scène. Muguette lave ses bas dans la cuvette en porcelaine blanche décorée de boutons de rose, tandis que Lot se balance, assis dans un rocking-chair, placé de biais dans un angle de la pièce, face au public. C'est un de ces rocking-chairs cannés comme on en trouve, ou plutôt comme on en trouvait, sous les vérandas des vieux hôtels du Sud. La tête blonde de Lot, d'une grâce féminine, repose sur un coussin de satin vert, un de ces « souvenirs » qu'on achète dans les petites stations balnéaires. Le dessus de lit est du même tissu, contrastant avec les barreaux de cuivre.

Il règne encore dans cette chambre une atmosphère très féminine, celle qu'y a laissée la mère de Lot. On devine qu'elle aimait les violettes, la dentelle au crochet, les objets de nacre et les garnitures en crépine...

Au lever du rideau, Lot tète son interminable fume-cigarette en ivoire, et Muguette est en train de rincer ses bas. Elle jette de temps à autre un coup d'œil inquiet sur ce mari tout neuf ; elle a l'air d'un savant qui surveille une éprouvette dont le contenu prend une couleur inexplicable...

Au cours de cette scène entre Lot et Muguette, on aperçoit Poulet dans la cuisine, à peine visible. Il est en train de graver quelque chose au couteau dans la table, et une espèce de plaisir sournois se peint sur son visage.

MUGUETTE

J'aimerais bien savoir ce que tu caches derrière ton sourire de Joconde et ce fume-cigarette qui n'en finit pas.

LOT

Je ne cache rien. Ils me viennent de ma mère, tous les deux.

MUGUETTE

C'est bien possible, mais ce n'est pas plus clair pour ça ! Voilà deux heures qu'on est là, et tout ce que j'ai pu tirer de toi c'est « Muguette, je suis en train de mourir ». Si on était mariés depuis trente ans, je comprendrais, on n'aurait

plus rien à se dire, mais c'est tout de même pas notre cas :
ça fait à peine deux jours.

LOT

Tu n'as qu'à me parler. Je te répondrai.

MUGUETTE

Trop aimable ! Je ne voudrais pas te fatiguer... Il a fallu
que tu allumes une cigarette pour que je te parle ! Moi, je
croyais que tu dormais dans ton fauteuil.

LOT

Non. Je réfléchissais, tout simplement.

MUGUETTE

Tu réfléchissais ? Eh bien, moi aussi, j'ai réfléchi, en
savonnant mes bas et mes petites affaires.

LOT

Ah bon ! Et à quoi ?

MUGUETTE

Eh bien, entre autres, puisque tu veux le savoir, je me
demande si tu as joué franc-jeu avec moi. Avant de m'amener ici, tu aurais pu me dire un mot de ce type-là, de cette
bête, qui est en bas !

LOT

Il valait mieux que je ne te parle pas de lui.

MUGUETTE

Il valait mieux ? Pour toi !

LOT

Oui, pour moi. Tu aurais peut-être refusé de m'accompagner, et je ne pouvais pas venir ici tout seul.

MUGUETTE

C'est de l'égoïsme, voilà tout. Il n'y a pas de quoi se vanter.

LOT

Je sais. Mais je ne me vante pas.

MUGUETTE

Ces ribambelles de voitures, de camions, de charrettes, ces troupeaux de gens qui marchaient dans l'autre sens, et toi, impossible de te faire faire demi-tour ! Est-ce que tu peux me donner une raison... raisonnable ?

LOT

J'imagine que...

MUGUETTE

Qu'est-ce que tu imagines ?

LOT

... Que je pensais à ce que m'a dit Poulet, sans me l'avouer : je voulais mourir dans cette chambre où je suis né. Oui, un bel égoïste ! Mais quand on a touché le fond du désespoir, on ne pense plus qu'à soi, Muguette.

MUGUETTE

Tu parles pour toi !

LOT

Pour beaucoup de gens... dont moi... Ne me déteste pas pour autant.

MUGUETTE

Je ne peux pas te détester, puisque je t'aime.

LOT

C'est beau, les cœurs simples !... Quelle heure est-il ?

MUGUETTE

Ma montre ne marche plus. Je la porte comme ça, pour faire joli.

LOT

Tu as cassé le ressort en la remontant ?

MUGUETTE

Mais non, mon chou. Seulement je suis allée faire un tour en bateau sur un lac, le 4 juillet, et il y avait deux ivrognes qui ont trouvé très malin de me jeter par-dessus bord, tout habillée. Alors ma montre a rouillé.

LOT

Tu aurais dû la porter tout de suite chez un horloger. Il fallait la faire démonter pour qu'on la mette dans un bain d'huile. Voilà ce qu'il fallait faire.

MUGUETTE, *avec tristesse.*

Il y a tant de choses que j'aurais dû faire, dans la vie !... Alors, les bains d'huile, tu comprends...

LOT

... Tandis que d'avoir épousé... un impuissant, une lavette pleine de bacilles, qui a déjà un pied dans la tombe, sinon les deux, tu le regrettes davantage !

MUGUETTE

Jamais je ne dirais des choses pareilles à quelqu'un que j'aime.

> *(Tout en parlant, Muguette enlève son pantalon pour enfiler un chemisier transparent, constellé de petits brillants, et une jupe en velours de coton.)*

LOT

Pourquoi te changes-tu ? Reste en pantalon.

MUGUETTE

Après six heures ? Jamais !

LOT

Pour un peu, on dirait que tu t'apprêtes à entrer en scène.

MUGUETTE

Mais, chéri, tous mes vêtements sont d'anciens costumes de scène que j'ai arrangés.

LOT

> *(Lentement, en prenant de petits temps pour respirer.)*

Celui-là... tu n'as pas l'air... de l'avoir beaucoup... arrangé... Il ne manque plus... que les projecteurs...

MUGUETTE

Arrangé ou pas, je trouve que c'est un joli petit ensemble.

LOT

Affaire de goût !

MUGUETTE

Oui, et il est au mien... si tu permets.

LOT

Je ne suis plus en état de permettre, ou de refuser.

MUGUETTE

Lot, mon petit chou ! Je sais bien que c'est normal d'être de mauvaise humeur, quand on n'est pas dans son assiette.

LOT

Ma mère était abonnée à *Vogue* : on le lisait tous les deux. Et je sais que le secret de l'élégance, c'est d'être toujours habillé selon les circonstances.

MUGUETTE

Et qu'est-ce que c'est la circonstance ? J'aimerais bien le savoir !

LOT

Mettons que ce soit la fin du monde... Mais même pour ça... cette espèce de jupe longue en imitation velours, ça n'irait pas.

MUGUETTE

D'abord la fin du monde c'est pour plus tard, Dieu merci ! Et puis ce n'est pas de l'imitation, c'est du velours lavable.

LOT

Du velours lavable ! Ça n'existe pas, Muguette.

MUGUETTE

Ah ! J'vous jure ! Écoutez-moi ce couturier !

LOT

Ma mère avait un goût extraordinaire. Elle aurait pu être modéliste à Paris.

MUGUETTE

A force de parler d'elle tout le temps, tu vas me la faire prendre en grippe.

LOT

... Aucune importance ! Elle n'est plus là...

MUGUETTE

C'était vraiment une perle pour les cochons, ici, avec son « goût extraordinaire ».

LOT

Eh bien, non, figure-toi. Mon père était un vrai porc, qui mangeait avec ses doigts et les essuyait sur son pantalon, mais ma mère, Miss Lottie, elle était reçue dans les meilleures familles de la région.

MUGUETTE

Enfin, si elle avait tant de goût et qu'on la recevait partout, pourquoi est-ce qu'elle a été chercher ce porc pour se marier ?

LOT

Ça, c'est un mystère. Comme si tu me demandais pourquoi le bon Dieu a inventé la pomme reinette ou les groseilles à maquereau.

Muguette, *ouvrant la porte d'un placard dans le mur du fond.*

Oui, oui, oui, je vois. Bon, eh bien, demain, mon petit, toi ou moi, ou tous les deux, il va falloir qu'on décroche les affaires de ta mère parce que je ne peux pas laisser les miennes toute la vie dans une valise.

Lot

... Je regrette, mais demain...

> *(Il n'achève pas sa phrase. L'attention de Muguette est attirée par le bruit que fait Poulet en se levant, dans la cuisine. Près de la cuisinière, il commence à couper des pommes de terre dans une poêle chaude, après y avoir mis de la graisse et des tranches de bacon. Pendant que Lot et Muguette continuent à parler, il prendra le bacon dans la poêle avec ses doigts, le mangera, et s'essuiera sur le fond de son pantalon. Lot tousse à fendre l'âme, et Muguette lui met la main sur le front.)*

Muguette

J'n'aime pas cette toux, et j'ai pas besoin de thermomètre pour être sûre que t'as de la fièvre, mon pauvre chou. Ça, il n'y a pas de doute, une fièvre de cheval !

Lot, *haletant.*

La fièvre, c'est... une réaction de défense... de l'organisme... contre les microbes... contre n'importe quelle... forme d'infection...

Muguette

Je ne sais pas très bien ce que tu dis... Mais je t'aime, mon trésor, je t'aime, et je serai là pour m'occuper de toi, pour te soigner, toute la vie !

(Elle serre la tête de Lot contre son sein.)

LOT

Aime-moi si tu veux, mais ne m'étouffe pas, Muguette.

MUGUETTE

... Ah, c'est agréable de s'entendre dire ça !

LOT

Ne sois pas bête ! Tu sais bien que j'ai du mal à respirer. Quand tu me serres comme ça, j'ai encore plus de peine, voilà tout. *(Il introduit une cigarette dans son fume-cigarette. Elle le lui arrache des mains.)* ... Rends-moi ça !

MUGUETTE

Tu es fou de fumer ! Rien ne peut te faire plus de mal !

LOT

Au point où j'en suis, ça n'a plus d'importance !

MUGUETTE

Ça en a pour moi !

LOT

Si tu ne me le rends pas, je fumerai tout de même et personne ne pourra m'en empêcher... puisque c'est la fin du monde...

MUGUETTE

Tiens, reprends-le, ton fume-cigarette, et plante un clou de plus dans ton cercueil ! Mais ne me parle plus de cette fin du monde ; elle viendra toujours assez tôt, et je ne suis pas pressée !

LOT

Merci.

MUGUETTE

Faut être plus gentil avec ta petite femme qui t'aime, mon blondinet chéri.

LOT

Je ne suis pas plus « blondinet » que toi... Je suis décoloré.

MUGUETTE, *stupéfaite et scandalisée*.

Tu es vraiment... décoloré ?

LOT

Comme toi. Seulement c'est mieux fait parce que ma mère m'a appris. Chaque matin que le bon Dieu fait, et demain, comme d'habitude, si je suis encore en vie, je me lève, je me brosse les dents, je satisfais mes besoins naturels, et ensuite, même quand j'étais à l'hôpital, j'enroule un peu de coton sur une allumette, je le trempe dans une bouteille, et je me frotte la racine des cheveux pour qu'elle ne soit jamais noire. Je ne me sers pas d'eau oxygénée, j'ai un mélange spécial que ma mère a inventé. Elle disait qu'avec mes yeux bleus et mon teint clair, le blond m'allait mieux, comme à elle...

MUGUETTE, *consternée*.

Ça, alors, j'en reviens pas...

LOT

Ton petit trésor te déçoit, maintenant, n'est-ce pas ?

MUGUETTE

... Je croyais au moins que tu étais un blond naturel.

204

Ne t'imagine pas pour autant que tu as épousé une folle.

Ça ne m'est jamais venu à l'idée de...

(Elle préfère ne pas achever sa phrase.)

Tu as épousé un homme pour qui les rapports sexuels, quels qu'ils soient, n'ont jamais eu beaucoup d'importance. J'aurai surtout passé mon temps à lutter contre la maladie, en essayant de faire de ce coin perdu quelque chose d'à peu près civilisé, grâce à ma mère. Et ce n'était pas facile.

... Je...

Quoi ?

... Je comprends. Et je vais me consacrer à toi, mon petit dieu bizarre avec sa tête de Joconde et son fume-cigarette.

(Un temps. Poulet allume sa lampe dans la cuisine et souffle sur ce qu'il vient de graver dans le bois de la table. Puis, la lampe à la main, il vient éclairer la femme nue qui orne le mur. Après un instant d'extase, il sort dans le vestibule et crie :)

POULET

Hé, là-haut, Muguette, la mère Ravenstock ! L'amour et l'eau de pluie, ça vous suffira, pour dîner ?

MUGUETTE

Est-ce que je dois répondre à cet homme ?

LOT

Si tu as faim, réponds-lui.

MUGUETTE, *lui répondant du premier étage.*

Lot a besoin de se soutenir, et je mangerais bien un morceau, moi aussi.

POULET

Alors, descendez.

MUGUETTE

Bien. Merci. Je vais descendre.

POULET, *baissant la voix.*

Mettez-vous en tenue ; qu'on s'amuse un peu.

> *(Muguette embrasse Lot sur le front, tandis que Poulet rentre dans la cuisine.)*

MUGUETTE

Oh, mon petit, tu es brûlant ! On dit qu'il faut nourrir un rhume et faire jeûner la fièvre, mais tu as les deux.

LOT

Je n'ai absolument pas faim.

MUGUETTE

Tu as faim d'amour, et je t'en donnerai, à condition que tu manges quelque chose.

LOT

Je n'ai pourtant pas plus d'appétit pour l'un que pour l'autre.

MUGUETTE

Tu vas le retrouver, quand il y aura un beau soleil tout neuf, doré comme une pièce de cinq dollars.

LOT

Par ici, les jours rallongent, tout d'un coup, et ils sont chauds, et secs, et puis... ça n'en finit plus...

(Il ferme les yeux.)

MUGUETTE

Je ne devrais pas descendre, après la manière dont il m'a traitée, mais ça sent les frites, et ça, je ne peux pas y résister.

LOT

A défaut de frites, ça sentirait l'homme.

MUGUETTE

Quoi ?

LOT

Rien. Descends montrer ta jupe en velours lavable et mange pour deux.

MUGUETTE

J'ai encore quelque chose à te dire, avant d'affronter cet individu. Pour moi tu es unique, pour moi tu es beau, je t'aime de tout mon cœur, et même si tu te sens un peu malade ces jours-ci, tu iras merveilleusement bien plus tard, et tu le sais. N'est-ce pas que tu le sais ?

LOT, *les yeux fermés, avec un sourire ambigu.*

Oui, bien sûr, j'en suis persuadé.

MUGUETTE

Allez, j'y vais ! En route pour l'inconnu... (*Elle descend l'escalier comme si elle allait explorer la forêt vierge. Elle entre dans la cuisine.*) Bonsoir... Alors ?... Comment ça va ?... (*Poulet ne prête aucune attention à ces civilités.*) Devinez ce que j'ai cru sentir par ici ?

POULET

J'sais pas. Le bouc ?

MUGUETTE

Ah, ah, ah, non ! J'ai cru sentir de vraies frites.

POULET

Je fais cuire des patates, quoi, mais je ne fais pas de chichis.

MUGUETTE

Elles sont au bacon, vos frites ?

POULET

Oui, mais pour le bacon, c'est râpé.

MUGUETTE

Oh, il n'y en a plus ?

POULET

Ça, y en a plus, je vous promets, mais il reste de la graisse dans la poêle, et des patates.

MUGUETTE

Ça leur donne un goût délicieux, la graisse de porc. (*Elle regarde autour d'elle, mal à l'aise.*) ... Memphis est très connu pour ses frites.

POULET

C'est pour ça que c'est connu ?

MUGUETTE

Mais oui... J'ai travaillé l'hiver dernier dans une boîte qui s'appelle *Le Palais de la Frite*. (*Poulet accueille cette nouvelle par un grognement.*) ... J'ai pris cinq kilos... Pour faire de bonnes frites, il faut les mettre dans une bassine qu'on trempe dans de l'huile bouillante.

POULET

Moi, je les fais à la poêle.

MUGUETTE

Oh, je ne m'attendais pas à trouver une bassine à friture... en pleine brousse. Je... enfin, je vais me servir, et je vais en monter une assiette à Lot. (*Tandis qu'elle se sert, Poulet monte la mèche de sa lampe.*) Où est-ce que vous mettez l'argenterie ?

POULET

L'argenterie ? Ah, les couteaux et les fourchettes ?

MUGUETTE

Une fourchette, ça suffira. Je n'ai pas besoin de couteau pour manger des frites. (*Poulet émet un nouveau grognement.*) Ce que ça va être bon !

POULET

Quoi donc ?

MUGUETTE

Mais, de manger.

POULET

Ah. Je pensais à autre chose.

MUGUETTE

... La voilà, l'argenterie. Oh, elle a besoin d'être nettoyée ! Cette Clara ne m'a pas l'air d'en faire lourd ; il faudra que je lui en dise deux mots.

POULET, *se levant.*

Prenez cette chaise. Vous serez bien, là.

MUGUETTE

Je ne veux pas vous prendre votre place. Restez donc assis.

POULET

Non, mettez-vous là, vous aurez ma chaise, toute chaude. Moi, faut que je retourne voir où ça en est, cette crue.

MUGUETTE

Tout de suite ?

(Il enfile ses bottes.)

POULET

Oh, je peux attendre un peu, si ça vous fait plaisir.

MUGUETTE

Ça me paraît une occasion idéale de faire mieux connaissance, vous ne croyez pas ?

> *(Elle affecte de ne pas remarquer la façon dont il la regarde, et s'assied en minaudant, très femme du monde.)*

POULET

Vous n'y voyez pas assez clair.

MUGUETTE

Mais si, c'est bien suffisant.

POULET, *poussant la lampe de son côté.*

Vous fatiguez pas la vue, il sera toujours temps de finir aveugle.

MUGUETTE, *remarquant le couteau à cran d'arrêt avec lequel il a gravé quelque chose sur la table.*

Est-ce que... euh... ce... euh... grand couteau... est à vous ?

POULET

Pourquoi ? Vous avez le même ?

MUGUETTE

Oh non... je ne... nous n'... je n'ai pas de couteau, moi.

(Elle tente de rire et se met à tousser.)

POULET

Alors je crois bien qu'il y a fort à parier que c'est le mien.

MUGUETTE

Rangez-le, s'il vous plaît. Je ne peux pas supporter d'avoir un grand couteau comme ça sous les yeux parce que ça me... enfin ça me gêne...

POULET

Pourquoi donc ?

MUGUETTE

Ça me... ça me... (*Elle secoue la tête, en frémissant.*) ... vous savez... ça me rend toute chose.

POULET

... Ça vous rappelle votre copine qui s'est fait débiter en tranches ?

(*Il se met à rire, ferme son couteau et le fourre dans sa poche.*)

MUGUETTE

Il vaudrait peut-être mieux que je monte une assiette à Lot et que j'aille manger avec lui là-haut. Les malades, ça s'ennuie, tout seuls.

POULET

Restez un peu ici avec moi. Y a pas que lui qui s'ennuie.

(*Il vide le reste de frites dans une autre assiette et commence à les manger.*)

MUGUETTE, *d'une voix étranglée.*

... Je vais tout de même vous rendre un peu de lumière. (*Elle pousse la lampe vers lui, mais Poulet la repousse vers elle.*) Les... euh... les jeunes et les... célibataires, enfin les hommes qui ne sont pas mariés, surtout quand ils vivent à la campagne, ils finissent par être un peu obsédés, ils pensent trop à...

POULET

A quoi donc, à votre avis ?

MUGUETTE

... Vous savez bien de quoi je parle.

POULET

J'y pige rien du tout, moi.

MUGUETTE

Eh bien, je vais vous le dire, puisque vous y tenez absolument. Ces gens-là, comme ils sont tout seuls, à la campagne, je comprends bien qu'ils s'amusent à graver des... des mots et des dessins obscènes sur une table de cuisine.

POULET

Qu'est-ce qui vous fait penser à ça ?

MUGUETTE

Je pourrais faire semblant de ne rien voir, mais il n'y a aucune raison. D'ailleurs il reste encore des copeaux tout frais, sur cette table. Ça pourrait se comprendre d'un gosse qui vit à la campagne, mais ce n'est plus de votre âge, une chose pareille. Vous ne devriez plus en être là. Et puis, il n'est pas bien difficile de se douter que ça révolterait une femme honnête, qui ne s'est jamais intéressée à... à toutes ces saletés.

POULET

Je suis content que vous compreniez au moins qu'on a besoin de s'amuser de temps en temps, quand on vit tout seul à la campagne.

MUGUETTE

Oui, mais quand on est un gosse... pas un... adulte... pas un homme... normal.

POULET

Ah bon. J'avais mal compris. Alors, vous ne les mangez pas, mes bonnes patates ? Faut vous les faire venir du *Palais de la Frite* pour qu'elles vous plaisent ?

MUGUETTE

Je vous ai dit ce que j'avais à dire, et maintenant, vous m'excuserez, mais je vais monter son assiette à Lot.

(Elle se lève, l'assiette à la main,)

POULET

Attendez, je vais vous tenir la lampe en bas de l'escalier. Comme ça, je pourrai me rincer l'œil pendant que vous monterez. (*Elle se dirige rapidement vers le vestibule. Il la suit, la lampe à la main. Elle trébuche sur une marche et laisse tomber l'assiette.*) Vous les avez renversées ? Par terre ?

MUGUETTE

Si vous n'étiez pas là, à vous... vous rincer l'œil, ça ne serait pas arrivé ! Voulez-vous avoir au moins la gentillesse de m'en... de me...

POULET

Si c'est d'autres patates que vous voulez, vous avez pas de veine. Y a plus que de la graisse dans la poêle. (*Ils se mesurent du regard un instant. Puis Poulet se met à rire et ramasse les frites qu'il remet dans l'assiette.*) Et voilà ! Le tour est joué. Si vous lui dites rien, il se doutera jamais qu'elles sont tombées...

MUGUETTE

Mais moi je le saurai, et vous pouvez être tranquille que... que je raconterai à mon mari tout ce qui vient de se passer, absolument tout. Bonsoir.

POULET

Redescendez vite, ma jolie ! J'ai passé un bon moment, moi !

> (*Elle grimpe rapidement l'escalier et pénètre dans la chambre du premier étage. Poulet retourne dans la cuisine, pose la lampe sur la table, et contemple ses graffiti obscènes de cet air sauvage et sournois qui lui est habituel. Puis il souffle la lampe.*)

SCÈNE III

Cette scène suit immédiatement la précédente. Lot est dans son fauteuil, les yeux fermés.

MUGUETTE

Lot ? Tu dors ?

LOT

Non, non. Je suis réveillé.

Tu veux manger un peu ?

Non. Je n'ai pas faim du tout.

Il faut que je te raconte quelque chose. Quelque chose d'infect. J'en suis encore toute retournée. Tiens, regarde comme j'ai froid aux mains ! Donc, je descends dans la cuisine. Je lui dis que ça sent le bacon. Il me dit que je ne suis pas descendue assez vite, parce qu'il n'y en a plus, mais qu'il reste des pommes de terre. Alors, j'en ai pris. Fallait bien que je ravale mon orgueil puisque je mourais de faim ; on n'a rien mangé depuis le sandwich au jambon qu'on a pris en route ce matin. Alors, bon, je me sers de frites et je m'installe à table. Et puis j'essaie de faire la conversation, poliment. Ce n'est pas que j'avais envie de parler avec ce saligaud, mais enfin, j'ai toujours entendu dire que ça se faisait quand on habite sous le même toit ; faut bien faire un effort. Bon. Et puis je vois devant moi un couteau, et des copeaux tout frais, en plein milieu de la table. Bon. Ça me paraît bizarre, mais je dis rien. Et puis je m'aperçois qu'il n'arrête pas de monter la mèche de la lampe. Alors, tout d'un coup, ça m'a sauté aux yeux, et j'ai compris. Cet homme-là, c'est un obsédé ! Devine ce qu'il avait fait ? Il avait gravé des choses dégoûtantes dans le bois de la table, juste devant mon assiette, un mot dégoûtant, et le dessin aussi. Alors, quand j'ai vu ça, je... je me suis mise à trembler, et je me suis levée tout de suite. Il m'a dit : Qu'est-ce qui vous prend, Muguette ? sur un ton ! ... Un vrai enfant de chœur ! Alors, bon. J'ai fait semblant de n'avoir rien remarqué du tout. Je lui ai dit simplement qu'il fallait que je te monte quelque chose à dîner.

LOT, *avec un sourire énigmatique.*

Qu'est-ce qu'il y avait, sur ce dessin ? Un homme ou une femme ?

MUGUETTE

Les deux !

LOT

Les deux ?

MUGUETTE

Oui, les deux.

LOT

Faisant quoi ?

MUGUETTE

Tu ne t'en doutes pas ? Un vicieux pareil ? (*Lot rit et tousse.*) Tu trouves ça drôle ?

LOT

Je trouve tout drôle, dans la vie. Même de mourir.

MUGUETTE

Ça va peut-être t'étonner un peu, mais je préfère te le dire tout de suite : je crois que je vais téléphoner à la police.

LOT

Et comment vas-tu faire ?

MUGUETTE

Il vient de mettre ses bottes. Il veut aller voir où ça en est, la crue. Alors, dès qu'il sera sorti, j'appelle la police.

LOT

Tu t'imagines qu'ils viendront ?

MUGUETTE

Je suis bien tranquille qu'ils viendront si je leur dis qu'il est devenu fou, que je suis ta femme, et que j'ai peur de passer une nuit avec lui dans la maison.

LOT

Personne ne viendra. D'ailleurs, personne ne te répondra.

MUGUETTE

Pourquoi dis-tu ça ?

LOT

Tu n'as tout de même pas oublié que le pays est à moitié inondé ? Et le pire est encore à venir...

MUGUETTE

Cette histoire-là, je l'oublie toujours, on dirait un cauchemar ; j'aime mieux ne pas y croire. Et puis même. Inondation ou pas, il faut bien protéger les honnêtes gens, non ? Y a pas de crue qui tienne.

LOT

Le voilà qui sort.

MUGUETTE

Qui ça ? Poulet ?

LOT

Qui veux-tu que ce soit ? Il n'y a que nous trois, ici.

MUGUETTE

Bon ! Alors je descends et je vais essayer d'appeler la police.

LOT

Tâche de mettre la main sur son portefeuille, pendant que tu y es.

MUGUETTE

Pour quoi faire ?

LOT

Dedans, il y a un papier qu'il m'a fait signer. Tout ce que j'ai lui reviendrait, si je meurs.

MUGUETTE

Et moi alors ? Qu'est-ce qu'il m'arrive ? Il ne me reste rien ?

LOT

Je ne sais pas si ce papier vaudra encore quelque chose, si je laisse une veuve.

MUGUETTE

... Comment faire pour l'avoir, ce papier ?

LOT

Est-ce que tu tiens l'alcool ?

MUGUETTE

Je ne vois pas le rapport mais il doit y en avoir un.

Je me demandais si tu étais capable de boire avec un type jusqu'à ce qu'il tombe ivre mort avant toi. Poulet a déjà pris de l'avance. Depuis qu'on est montés, je l'entends cogner sa bonbonne toutes les cinq minutes sur la table, et il avait dû commencer bien avant qu'on arrive.

MUGUETTE

Je me doute bien que tu as une idée derrière la tête, mais je ne sais pas laquelle.

LOT

Avec ce papier, il aura droit à tout ce que j'ai, après moi. Alors, il ne le quitte pas, il le porte toujours sur lui, dans son portefeuille.

MUGUETTE

Je ne comprends toujours pas ce que tu...

LOT

Écoute-moi bien, Muguette, sans m'interrompre, veux-tu ? Tu le fais boire, sans boire toi-même, et quand il sera complètement saoul, tu prends ce papier dans son porte-feuille, tu le déchires en petits morceaux, et tu le brûles. Comme ça, à ma mort, puisque tu es ma femme, c'est à toi que tout reviendra. Tu seras propriétaire de tout, et ça vaut la peine, crois-moi.

MUGUETTE

Je ne sais pas comment je vais faire pour ne pas boire, mais...

LOT

Ce papier est dans son portefeuille... et il dort avec son portefeuille, dans la cuisine... il le met sous son oreiller comme si c'était un trésor. Et c'en est un, de trésor. Est-ce que j'ai déjà le cerveau trop malade pour te faire comprendre ça ?

MUGUETTE

J'ai bien compris, mais ça n'a pas l'air commode, cette affaire-là. Saouler une armoire à glace...

LOT

Est-ce que tu veux tout ça, pour toi toute seule, quand je n'y serai plus ?

MUGUETTE

Tu te rends compte ! Si jamais il...

LOT

Dans cette garce de vie, on n'a rien sans peine ; il faut y mettre le prix. Alors, tu vas descendre, et tu vas lui faire du charme. Tu peux boire, tu dois boire, mais des petites gorgées d'oiseau, pendant que lui boira comme un trou, jusqu'à tomber ivre mort sur sa paillasse. Alors, tu lui prends son portefeuille ; dans son portefeuille, tu prends ce papier ; et ce papier, tu le détruis. Je veux qu'il te revienne à toi, ce domaine. Ça me hanterait dans ma tombe, et ma mère dans la sienne, si c'était lui qui l'avait. Quand ce papier n'existera plus, tu seras riche, tu pourras le mettre à la porte, tu pourras te remarier, tu pourras être heureuse.

MUGUETTE

Mais comment savoir si... ?

LOT

C'est ta seule chance de sortir de la mouise.

MUGUETTE

C'est pour ça que tu m'as épousée, mon chou ? C'est pour ça que tu m'as amenée ici ?

LOT

Je t'ai épousée et je t'ai amenée ici pour que tu aies quelque chose à toi, et que tu deviennes une dame, une vraie.

MUGUETTE

... Bon... Je vais faire un essai... Après tout, c'est pas pour rien que je m'appelle la môme Risque-Tout.

LOT

Tu l'entends ? Il vient de rentrer dans la cuisine.

MUGUETTE

Oui. Alors j'y vais. Dis-moi merde. J'ai un de ces tracs.

LOT

Je te souhaite bonne chance, et ma mère aussi. (*Muguette prend la lampe et se dirige vers la porte.*) Tu as vraiment besoin de la lampe ? Tu vas me laisser étouffer dans le noir ?

MUGUETTE

Il faut bien que je m'éclaire dans l'escalier !

LOT

Oui. Ça ne fait rien. Prends-la. La lune est pleine ; on dirait l'œil fou d'un ivrogne.

MUGUETTE

Je ne peux rien faire pour toi avant de descendre ?

Rien. Descends. Et prends-lui le papier.

(Elle sort, la lampe à la main. La chambre est plongée dans une totale obscurité, à l'exception d'un mince rayon de lune qui éclaire Lot sur son fauteuil.)

SCÈNE IV

Cette scène suit immédiatement la précédente.
Muguette descend l'escalier, sa lampe à la main. Dès qu'il l'entend, Poulet vient remonter la mèche de la sienne, qui est toujours posée sur la table de la cuisine.

MUGUETTE

Je croyais que vous étiez sorti...

POULET

Pour quoi faire ? Pour aller chercher votre bazar, qui va pas tarder à nager comme le reste ?

MUGUETTE

... De temps en temps, j'ai bien peur de dire n'importe quoi. Faut pas m'en vouloir. Je... euh... suis descendue parce que Lot ne va pas bien du tout, vous savez ; je suis folle d'inquiétude. Il n'arrive plus à respirer.

POULET

Sans poumons, c'est pas commode.

MUGUETTE

Impossible de l'empêcher de fumer. Et il n'arrête pas de répéter que c'est la fin du monde. Je vous assure, je ne peux plus supporter ça comme ça... faut que je boive quelque chose. Est-ce que vous avez un peu d'alcool ?

POULET

C'est le régime sec, dans le coin. Heureusement je connais un vieux Noir qui fabrique un petit tord-boyaux pas mauvais ; il me le vend à la bonbonne.

MUGUETTE

C'est... c'est ça, la bonbonne ?

POULET

Ouais, et on n'en voit pas encore le fond. Je vais vous en donner un verre... Je vous reçois plutôt bien, vous pouvez pas dire, pour un homme des bois...

MUGUETTE

Vous comprenez... c'est parce qu'on ne se connaît pas encore très bien. Et puis un jour et une nuit pareils, il y a de quoi vous rendre nerveuse, même si on ne l'est pas.

POULET

Dans ce cas-là, je pense que vous en voulez un bon verre, bien tassé.

MUGUETTE

Oh... pour moi... non, un verre normal. Mais prenez-en un avec moi. Il faut boire ensemble pour faire mieux connaissance... Ah, ma lessive ! Ça ne vous gêne pas que j'étende un peu de linge que je viens de laver, des bas, des petites affaires ? Je peux les descendre ?

POULET

Si vous voulez. Avec la crue, ça va joliment sécher !

224

MUGUETTE

Soyez gentil : ne me parlez pas de cette inondation. Il sera toujours temps d'y penser si...

POULET

Y a pas de si. C'est sûr.

MUGUETTE

Eh bien... oublions-le. C'est amusant de boire là-dedans. Ça donne un goût de métal qui n'est pas désagréable.

POULET

Pourquoi est-ce que vous faites ce bruit de locomotive quand vous respirez ?

MUGUETTE

C'est l'asthme qui m'étouffe.

POULET

Ah bon, vous avez de l'asthme ?

MUGUETTE

Oh non, j'en ai pas, j'en ai eu. Une histoire d'allergie, vous savez ce que c'est... Je suis allée voir un docteur de Memphis, il m'a fait des tests, et devinez ce qu'il a trouvé ? Il a découvert que j'avais un chat, et que tout venait de là. C'était une petite chatte que j'adorais ; elle s'appelait Pluche. Enfin, il paraît qu'elle était allergique à moi, cette bête. Il a fallu que je m'en défasse ; il n'y avait pas d'autre moyen. Alors je lui ai d'abord donné une belle tête de poisson-chat, parce qu'elle en raffolait. Le dernier repas du condamné, en somme. Et puis je l'ai tuée à l'éther. Pauvre petite Pluche ! On s'aimait tellement toutes les deux !... J'ai pleuré comme une Madeleine cette nuit-là. Mon Dieu !

(*Elle se lève.*) Avec la crise que j'ai ce soir, je parierais cher qu'il y a un chat dans les environs.

POULET

J'ai un chat.

MUGUETTE

Ça explique tout.

POULET

Je l'avais laissé entrer. Il me tient compagnie, le soir.

> (*Il prend le chat sur ses genoux. Muguette savait pertinemment qu'il était là, mais joue la surprise.*)

MUGUETTE

Ce n'est pas étonnant, alors, que j'aie une crise pareille. Pour l'amour du ciel, débarrassez-moi de cet animal, je vous en supplie !

POULET

Viens, Minet.

> (*D'un geste paresseusement désinvolte, Poulet ouvre une trappe dans le sol de la cuisine, près de la table, et jette le chat dans la cave. On entend un miaulement furibond, suivi d'un bruit d'éclaboussure. Poulet laisse retomber la trappe.*)

MUGUETTE

Mais la cave est inondée ! Je l'ai entendu tomber dans l'eau !

POULET

Vous m'avez dit de vous en débarrasser.

MUGUETTE

En le jetant dehors, pas en le noyant ! (*Elle rouvre la trappe et crie : « Minet, Minet, Minet ! » Tandis que Muguette est penchée sur le vide, Poulet la pousse du genou. Elle roule par terre en hurlant.*) Oh, mon Dieu ! Vous avez essayé de me pousser ! Vous avez voulu me noyer ! (*Poulet rit.*) Mon Dieu, mon Dieu ! Il a voulu me noyer !

(*Poulet rit de plus belle.*)

LOT, *appelant d'une voix faible, depuis le premier étage.*

Muguette ! Muguette !

POULET

Votre Jules vous appelle.

MUGUETTE, *à quatre pattes sur le sol.*

Fermez... fermez cette trappe !

POULET

Oh, ça va ! Fermez votre gueule, vous. Personne va vous noyer, la Mère-la-Frite !

MUGUETTE

Vous avez voulu me noyer, comme le chat !

POULET

Il n'est pas noyé, le chat. Il a nagé jusqu'au tas de bois... Vous auriez fait pareil si je vous avais jetée avec lui.

MUGUETTE

Mais moi... je ne sais pas... je ne sais pas nager !

POULET

... Je me demande bien ce que vous savez faire... sortie du plumard.

MUGUETTE

Poulet, s'il vous plaît, fermez cette trappe. (*Il la ferme d'un coup de pied.*) Oh, mon cœur ! Vous m'avez fait une de ces peurs ! Je ne me suis jamais vraiment remise de mon... opération... (*Elle se relève en haletant.*) Je vous en prie, je... donnez-moi une goutte de ce... de cet alcool...

POULET

Allez-y. Vous n'avez qu'à vous servir.

MUGUETTE, *essayant de rire malgré sa panique.*

J'ose pas me lever ! Je vous assure, j'ai encore les jambes en coton !

POULET

Oh, maintenant, y en a marre ! On peut plus s'amuser un peu ?

MUGUETTE, *s'approchant craintivement de la table.*

Où est-ce que j'ai... où est-ce que j'ai mis mon gobelet ? J'ai toujours... le cœur qui bat !

POULET

C'est encore une veine ! Vous seriez morte, sans ça !

MUGUETTE

Ce que je veux dire, c'est qu'il bat comme un marteau !

POULET

Comme dans la chanson ?

MUGUETTE

Quelle... quelle chanson ?

POULET

« Mon cœur bat comme un marteau
Quand tu me serr'dans tes bras
Là-haut
Sous le ciel d'Alabama ! »

MUGUETTE

Ah oui, bien sûr, je me souviens... Et celle-ci, vous vous rappelez ? C'est une vieille rengaine aussi !

(Elle chante un air de Dixieland.)

POULET

Ha, ha, ha, ha ! Celle-là, mon vieux, elle date pas d'hier, tiens ! Ça remonte loin !

MUGUETTE

Et celle-ci, vous la connaissez ? Celle-ci, c'est...

LOT

Mu-gueeeeette !

MUGUETTE

J'arrive, chéri, j'arrive tout de suite !... (*Avec une inquiétude croissante, à mesure qu'il se rapproche d'elle.*) Oh, ce que c'est amusant... de chanter comme ça... Je... j'adore ça, moi... les chœurs. Y a rien que j'aime autant.

POULET

Allez-y, continuez ! Qu'est-ce qu'on chante ?

MUGUETTE

... Attendez que... que j'aie le temps de siffler mon verre !

(Elle fait le tour de la table, avec son gobelet d'alcool à la main.)

POULET

Pour vous rincer le sifflet ?

MUGUETTE

C'est ça, pour me rincer le sifflet !

POULET

Z'avez bien failli mouiller autre part quand je vous ai poussée dans la trappe ! Pas vrai, Muguette ?... Ha, ha, ha, ha !

MUGUETTE, *riant lugubrement d'une toute petite voix.*

Ha, ha, ha, ha !

POULET

Bon, alors, qu'est-ce que c'est que vous allez me chanter ? Y a d'autres vieux succès au programme ?

MUGUETTE

Ah, si j'avais mon petit ukulélé ! Mon cher petit ukulélé !

POULET

Une guitare, ça vous irait ?

MUGUETTE, *prenant un air ravi.*

Oh, vous avez une guitare ?

POULET

Oui. Là.

(Il sort une guitare d'un placard et la lui tend.)

MUGUETTE

Hou, mais, c'est un gros instrument !

POULET

Ça vous déplaît les gros instruments ?

MUGUETTE

Mais je me demande si je...

POULET

Oh, je suis sûr que vous saurez vous en servir.

MUGUETTE

On va bien voir.

POULET

C'est tout vu. Qu'est-ce qu'on chante ? On va faire un duo !

MUGUETTE

J'adore les vieilles chansons. Pas vous ?

POULET

Les vieux airs, y a que ça de vrai.

MUGUETTE

Tenez, en voilà un que je peux essayer de jouer ; ce n'est pas... très difficile... Y a que deux... ou trois accords... (*C'est à peine s'il lui reste assez de souffle pour chanter.*) ... un air des années 14, type *It's a long way to Tipperary.*

> (*Poulet s'approche de la trappe. Aussitôt la voix de Muguette s'étrangle.*)

POULET

Eh bien, qu'est-ce qu'il y a ?

MUGUETTE

Vous deviez chanter avec moi.

POULET

Allez-y d'abord une fois toute seule, comme ça je retrouverai les paroles.

MUGUETTE

Comment, vous ne savez pas les paroles ? Je croyais que c'était archiconnu, pourtant. C'est vieux comme le monde, ça date de la Grande Guerre.

POULET

Et vous, alors, comment ça se fait que vous la connaissez ? Vous avez quand même pas fait cette guerre-là ?

MUGUETTE

C'est de ces chansons que...

POULET

Que quoi ?

MUGUETTE

Que tout le monde... connaît... Soyez gentil, Poulet. Ne restez pas trop près de cette trappe. Ça me fait trop peur ; je ne peux plus chanter. Asseyez-vous là, près de moi.

POULET

Mais non, vous n'avez pas peur. C'est des idées...

MUGUETTE

J'ai peur à crier.

POULET

Eh bien, ne criez pas. Chantez ! Chantez-moi autre chose.

MUGUETTE

Mais... mais quoi, par exemple ?

POULET

Qu'est-ce que vous diriez d'un cantique ?

MUGUETTE

Vous voulez vraiment que je vous chante un cantique ?

POULET

Oui, oui, quelque chose de religieux, comme on en chante à l'église.

MUGUETTE

C'est drôle... j'en connais des tas, de cantiques, mais... sur le moment, j'arrive pas à en retrouver un. Ha, ha ! Vous trouvez pas ça drôle ? Attendez ! Attendez ! En voilà un qui me revient. Ah oui, ah oui, ça y est, maintenant. J'y suis. (*Elle esquisse un pauvre petit sourire crispé, rejette la tête en arrière et fredonne les yeux fermés.*)

« Dieu me conduit et me protège
En sa bonté j'ai confi-an-an-an-an-ce
Il m'a guidé vers la prairie
Où coule en pai-ai-aix- la source fraî-aî-aî-aî-che. »

POULET

On dirait que vous êtes enrouée, Muguette.

MUGUETTE

Je croyais que vous alliez chanter avec moi.

POULET

Je chante pas assez bien.

MUGUETTE

Vous avez une bonne voix. On croit toujours que les hommes, quand ils sont grands, ils sont des barytons ou des basses, mais c'est pas vrai ! Vous avez une jolie voix de ténor. Ce que c'est bête, tout de même ! Perdre le souffle comme ça !

POULET

C'est votre histoire d'allergie, qui vous reprend !

MUGUETTE

Oh, non, non, c'est pas le chat, c'est...

POULET

Eh bien, alors, Muguette, qu'est-ce que c'est ?

MUGUETTE

C'est les nerfs ! Je suis à bout !

POULET

Vous vous faites de la bile pour le chat, je suis sûr que c'est à cause de lui. Vous devez appartenir à cette société, là... pour le sauvetage des bestioles. Peut-être même que vous êtes la présidente.

(Il enfile ses bottes.)

MUGUETTE

Pourquoi est-ce que vous remettez vos bottes ?

POULET

Je vais descendre à la cave, repêcher le chat.

MUGUETTE

Oh, il a eu son compte. Y a longtemps qu'il est mort.

POULET

Mais pas du tout. Venez, on va descendre le chercher, tous les deux. Vous vous faites de la bile pour lui. Y a qu'à descendre à la cave la chercher, cette bête.

MUGUETTE, *s'écartant.*

Allez-y... allez-y tout seul... Moi je ne pourrai jamais.

> *(Il soulève la trappe, d'un geste sec. Muguette hurle de peur, jette la guitare par terre, et s'enfuit dans le vestibule. Elle monte l'escalier quatre à quatre en poussant des cris. Poulet éclate de rire, et disparaît par la trappe, dans un grand bruit d'éclaboussures. On l'entend appeler « Minet, Minet, Minet ». Le chat miaule et Poulet continue de rire. Il rit encore en reparaissant, le chat à la main, tandis que l'obscurité se fait peu à peu.)*

SCÈNE V

*La scène se passe aussitôt après ; la chambre du pre-
mier étage est éclairée, ainsi que, plus faiblement, les marches extérieures sur lesquelles Poulet est assis, le chat sur
les genoux.*

*Lot est toujours sur son fauteuil canné, son fume-ciga-
rette aux lèvres. Il porte à présent un peignoir de sa mère,
en soie blanche. Son sourire de Joconde tourne au rictus,
et les cernes violacés de ses yeux se sont encore accusés.*

Muguette se tient debout, à la porte, encore haletante.

LOT

Si j'en juge d'après ce concert et tout ce branle-bas, inutile de te demander si tu l'as, ce papier... n'est-ce pas ? Tu
n'as rien ?

MUGUETTE

Ah, écoute-moi bien ! J'en avais déjà jusque-là, mais
maintenant j'en ai plus qu'assez !

LOT

Tu ne lui as pas fait ingurgiter grand-chose... Hein ?

MUGUETTE

Cet homme-là, il serait capable de pomper tout un maga-
sin d'alcool et de passer au suivant aussi sec ! C'est un
monstre !

LOT

Je croyais t'avoir entendue dire qu'il n'y avait pas un
homme sur terre qui puisse te résister. Il faudrait donc en
déduire que Poulet n'est pas un homme, ou qu'il n'a pas
les pieds sur terre. Mais ça ne me paraît pas évident.

MUGUETTE

Tu te crois peut-être drôle !

LOT

Crie plus fort, il t'entendra ! Ça ne t'est jamais arrivé de parler comme tout le monde ?

MUGUETTE

Je t'ai déjà dit que t'étais pas drôle. Et puis c'est vraiment pas le moment, après ce que j'ai dû supporter dans cette cuisine ! Un joli coco, ton frangin !

LOT

Le contraire de moi. Je le déteste de tout mon cœur, cet homme.

MUGUETTE

Il me glace le sang. Est-ce qu'il y a une clé à cette porte, qu'on puisse s'enfermer ?

LOT

Non, il n'y en a pas. Je le méprise et je le hais si fort que si jamais cette maison, ou quoi que ce soit dans cette maison, lui revenait...

MUGUETTE

Tu te rends compte, s'il se met dans la tête de me traîner en bas ?

LOT

... ma mère et moi, on ne pourrait pas dormir en paix dans notre tombe.

MUGUETTE

Je m'en fiche, de votre tombe. Qu'est-ce qui va m'arriver, à moi ?

LOT

Qu'est-ce que tu veux qu'il t'arrive, sinon... ?

MUGUETTE

Il n'y a pas que toi au monde ! Moi aussi, j'existe. Ce n'est plus de l'égoïsme, c'est de la folie. Ça passe les bornes, ça envahit tout... encore un déluge, tiens !

LOT

Tu n'as donc jamais eu quelque chose à toi, dans ta vie ?

MUGUETTE

Si ! Ma fierté et mon amour-propre ! Ça compte, pour une femme !

LOT

J'en suis convaincu et je t'en félicite, Muguette, mais tu n'as pas envie d'avoir à *toi*, de *posséder* une propriété qui a plus de valeur qu'elle n'en a l'air ?

MUGUETTE

Qu'est-ce qu'elle vaut ? En argent ?

LOT

Plus de cinquante mille dollars, et davantage si elle était bien menée. (*Longue pause.*) Alors ? Ça te dit ou non ?

MUGUETTE

Je n'ai jamais eu le moindre caillou à moi.

LOT

... Eh bien, je te plains, mais ça, c'est la chance de ta vie, si tu veux. Ça dépend de toi.

(Un temps, pendant que Muguette réfléchit.)

MUGUETTE

... Mon ange ? Mon petit chou ? Tu devrais te mettre au lit au lieu de rester à la fenêtre, comme ça. Tu vas attraper froid dans ce peignoir, c'est trop léger, la soie !

LOT

Je respire mieux quand je suis assis... et puis je peux regarder le ciel.

MUGUETTE

Le ciel ? Il est tout couvert.

LOT

De temps en temps on voit la lune, entre les nuages qui filent, et elle... elle me parle avec la voix de ma mère, si douce...

MUGUETTE

Je voudrais tout de même que tu te couches ; je pourrais te serrer dans mes bras, t'aimer.

LOT

Tu peux bien m'aimer sans me serrer.

MUGUETTE

Tu trembles de froid. Laisse-moi au moins te mettre quelque chose de plus épais sur les épaules, une couverture, par exemple.

239

LOT

Non, non, rien. Ça m'étoufferait.

MUGUETTE

Poulet est dehors. Je vais en profiter pour redescendre à la cuisine te faire une bouillotte, et puis après je te mettrai au lit, que ça te plaise ou pas.

LOT

Il n'y a pas de bouillotte dans la maison.

MUGUETTE

Moi j'en ai une dans ma valise. Je l'emporte toujours en voyage.

LOT

J'aurais dû m'en douter.

MUGUETTE

De quoi ?

LOT

De rien... enfin de ça comme du reste, quoi !...

MUGUETTE

Je ne sais pas de quoi tu parles... En tout cas, moi, je descends, et cette fois-ci, je l'aurai, ce papier. Je ne sais pas comment, d'une manière ou d'une autre. Mais d'abord je vais mettre mon costume de scène, je vais m'habiller en « môme Risque-Tout ». Ça va lui plaire.

(Elle se change rapidement.)

240

LOT

Je ne sais pas si tu te rends compte, mais ce qui t'attire en bas n'est ni en caoutchouc ni en papier.

MUGUETTE

Ma parole, tu délires pour t'imaginer des choses pareilles !

LOT

Je ne m'imagine rien, je le sais... Je sais aussi que j'y entame ma dernière nuit.

MUGUETTE

Je vais te porter sur ton lit, voilà ce que je vais faire en remontant avec ta bouillotte. Je suis assez forte pour ça.

LOT

Il suffit d'avoir des bras pour me porter... Ça n'est pas difficile de me faire violence.

MUGUETTE

Parce que t'aimer et te soigner, c'est te faire violence ?

LOT

... Oh ! non... Si tu n'arrives pas à le saouler complètement, assomme-le avec le marteau qui est dans le tiroir de la table, mais ne remonte pas ici sans ce papier. Si tu l'as, je me laisserai porter sur le lit sans résister et puis... je dormirai dans tes bras, si je peux encore dormir...

MUGUETTE

Il faut que je prenne la lampe pour descendre... je tremble comme une feuille.

LOT

Prends-la. Le ciel me suffit.

> *(Elle sort de la chambre et commence à descendre l'escalier. Elle est à mi-chemin, sa lampe à la main, quand Poulet ouvre la porte d'un coup de pied et pénètre dans le vestibule.)*

MUGUETTE, *poussant un cri de terreur.*

Ah !

> *(Elle laisse tomber la lampe à pétrole, qui s'éteint.)*

POULET

Alors, on essaie de mettre le feu ? Chez soi ? On n'attend même plus que ça soye inondé ?

MUGUETTE

... J'ai pensé que...

POULET

Vous fatiguez pas les méninges à penser.

MUGUETTE

Lot... Lot a des frissons. Terribles. Je voudrais lui faire une bouillotte. Je peux descendre ?

POULET

Pourquoi me demander la permission ? La maison est à vous.

MUGUETTE

La maison n'est pas à moi et je ne possède rien ici, sauf ce que j'ai apporté.

Votre barda « catégorie Confort » ?

> *(Il se met à rire et pénètre dans la cuisine.*
> *Muguette s'arrête au bas de l'escalier et parle*
> *d'une voix tremblante.)*

MUGUETTE

Faites-moi un petit plaisir avant que j'entre dans la cuisine.

POULET

Quoi donc ? J'adore faire plaisir aux dames, moi.

> *(Il allume la lampe de la cuisine.)*

MUGUETTE

Je sais bien que c'est pour me taquiner que vous avez ouvert cette trappe, tout à l'heure, mais soyez gentil de pousser la table dessus, maintenant.

POULET

Mais elle est fermée, cette trappe.

MUGUETTE

Fermée ou pas, je ne me sentirai pas à l'aise dans la cuisine tant que la table ne sera pas dessus.

POULET, *poussant la table du pied.*

Ah, c'est vous la patronne, ici, c'est vous qui commandez. Tout ce que vous me demandez, faut que je le fasse.

> *(Muguette s'approche craintivement de la*
> *porte.)*

MUGUETTE

Je ne suis pas la patronne, je ne suis que de passage, mais voulez-vous la pousser un petit peu plus, cette table ? S'il vous plaît !

POULET

Mais bien sûr, madame Ravenstock. Un employé, ça fait toujours ce que le patron et sa dame lui demandent. (*Il pousse à nouveau la table.*) Comme ça, ça vous va ?

MUGUETTE, *pénétrant dans la cuisine.*

Oui, merci. C'est très bien. Parfait. Je me sens mieux.

POULET

Vous êtes une dame de la ville ; moi je ne suis qu'un pauvre paysan qui sait pas vivre. Faut m'excuser. C'est pas de ma faute.

MUGUETTE

Des blagues, on m'en a fait, dans ma vie ! J'avais deux frères plus vieux que moi, Jack et Jim, ils passaient leur temps à ça ; c'était infernal. J'avais des grandes boucles, à ce moment-là, voyez-vous. Alors ils me les tiraient en criant : « Ding-Dong, Ding-Dong. » Oh, je n'avais pas très mal, mais ça me faisait toujours peur. Je braillais ! Fallait entendre ça ! Des fois, ils n'avaient même pas besoin de me tirer les cheveux, il suffisait qu'ils disent « Ding-Dong », et ça y était. Je poussais des cris à crever le tympan et je filais comme un dard à la maison. Alors les blagues, vous comprenez, je sais ce que c'est, mais il m'est arrivé tellement de choses depuis quelques heures que je n'ai plus de ressort, vous comprenez ?... Presque plus.

POULET

Qu'est-ce que vous avez à vous balader comme ça ? Vous cherchez quelque chose ?

MUGUETTE

Une bouilloire, pour faire chauffer de l'eau. J'ai quelque chose pour la mettre, dans ma valise.

(Elle sort la bouillotte d'une valise très fatiguée, et erre dans la cuisine, égarée.)

POULET

Pourquoi est-ce que vous ne posez pas votre bouillotte en attendant ? Vous auriez les mains libres.

MUGUETTE

Ah ! la la... Je ne sais pas ce qui m'arrive. Je ne sais plus où j'ai la tête !... *(Poulet se lève et pose le chat par terre.)* Mais il n'est pas noyé, ce chat ?

POULET

Eh, foutre non. On ne peut pas noyer un chat comme ça. Faut le mettre dans un sac, avec des pierres. Il a tout simplement nagé jusqu'au tas de bois. Pas vrai, Minet ?

(Poulet tend la bouilloire à Muguette.)

MUGUETTE

Merci.

(Elle pose la bouilloire sur la cuisinière.)

POULET

C'est comme ça que vous faites, en ville ?

MUGUETTE

Hein ?

POULET

Vous faites d'abord chauffer la bouilloire, et puis vous mettez l'eau après ?

MUGUETTE

Ha ! Ha !... C'est quelque chose, tout de même ! Vous voyez dans quel état je suis ! Voilà que je mets une bouilloire vide sur le feu, maintenant !

POULET

Donnez-la-moi. Je vais aller vous la remplir avec de l'eau de pluie.

> *(Il sort avec la bouilloire et la plonge dans le tonneau qui se trouve sous la gouttière. Elle le suit à la porte.)*

MUGUETTE

Il paraît que l'eau de pluie, c'est la plus douce.

POULET

Ah bon ? Eh bien, vous voyez, rien n'est trop doux pour Lot.

MUGUETTE

... enfin, pour remplir une bouillotte, ça n'a pas beaucoup d'importance...

POULET

Ça c'est bien vrai... (*Il lui tend la bouilloire, toute dégoulinante d'eau. Elle rentre dans la cuisine. Il la regarde, de dos, puis émet un petit sifflement gourmand. Elle pose la bouilloire sur la cuisinière avec un grand bruit qui lui arrache un rire surpris.*) Qu'est-ce qu'il y a de drôle ? (*Elle continue de rire, malgré elle.*) Ben alors, dites-moi, quoi ! Ça a l'air rudement marrant.

MUGUETTE

Oh, c'est... c'est... rien, c'est nerveux !

(Elle continue à glousser.)

POULET

Il n'y a que deux moyens de calmer une femme qui a ses nerfs. On lui colle une paire de claques, ou alors on la culbute. Quelquefois, il faut faire les deux.

MUGUETTE

Oh, je me sens mieux, maintenant. Mes crises, vous savez, ça va, ça vient, ça ne dure pas... Comment ça se fait qu'un beau garçon comme vous ne soit pas encore marié ?

POULET

... Je suis un peu teinté.

MUGUETTE

Et après ?

POULET

Il n'y a pas de femme ici, depuis la mort de Miss Lottie, à part Clara. Mais elle a fichu le camp dans les collines, à cause de l'inondation.

MUGUETTE

Vous parlez toujours de cette inondation comme si elle ne vous faisait pas peur du tout.

POULET

C'est bon pour la terre.

247

MUGUETTE

Vous serez bien avancé, quand vous serez noyé.

POULET

Je ne me noierai pas... Et vous ?

MUGUETTE

Jésus, que Dieu m'en préserve !

POULET

C'est pas lui qui vous en préservera.

MUGUETTE

Mais je compte sur vous, Poulet.

POULET

Vaudrait mieux pas.

MUGUETTE

Mais j'y compte tout de même.

POULET

Faut jamais compter sur personne. Asseyez-vous.

MUGUETTE

Je préfère rester un peu debout si...

POULET

Si quoi ?

MUGUETTE

Si vous n'y voyez pas d'inconvénient.

POULET

Vous parlez comme je m'en fous ! Vous pouvez aussi bien faire les pieds au mur si ça vous chante ! Mais regardez ! J'ai ce vieux coussin de bagnole, je vais vous le mettre sur c'te chaise, vous serez comme dans un fauteuil, là-dessus. « Catégorie Confort », il n'y a pas mieux ! Comme ça, vous serez bien assise pendant qu'on parle.

MUGUETTE

... Merci !

> *(Elle s'assied avec raideur, sur le bord du coussin.)*

POULET, *avec sa grimace familière, un peu canaille.*

En somme, ça vous fait *trois* coussins ?

MUGUETTE

... Trois ?... Ah !... Ha ! Ha ! Ha !... ouiiii... trois...

(Un lourd silence s'installe.)

POULET

Vous êtes bien à votre aise ?

MUGUETTE

Ouiii ! Oui, très bien ! Et vous ?

POULET

Moi je me gêne jamais, en général.

MUGUETTE

Vous avez raison ! Il faut !... Un homme, ça doit...

POULET

... ça doit quoi ?

MUGUETTE

Enfin... euh... ça doit être à son aise, autant que possible...

POULET

Et vous, alors ? Vous n'y êtes pas, à votre aise ? Sur vos trois coussins ?

MUGUETTE

Si, je viens de vous le dire. Seulement je suis un peu inquiète à cause de mon mari. Je ne me rendais pas compte, mais alors pas du tout, qu'il était malade à ce point-là. En fait, je... je ne m'en doutais même pas...

POULET

C'est comme si on vous avait refilé une vieille chignole truquée.

MUGUETTE

Oh non, ce n'est pas ce que je veux dire. Ce garçon, il a touché en moi ce qu'il y a de plus profond.

(Elle fond en larmes, brusquement.)

POULET

Pas de comédie. Je veux vous parler.

MUGUETTE

Oui, parlez-moi !

POULET

Je suppose que vous connaissez la combine.

MUGUETTE, *essayant de se donner une contenance.*

La quoi ?

POULET

La combinaison. Vous en avez entendu parler ?

MUGUETTE, *jouant timidement la désinvolture.*

Les combinaisons, bien sûr que j'en ai entendu parler. Il y en avait de jolies, autrefois, avec des dentelles. Mais ce n'est plus très à la mode, vous savez, ça...

POULET

... Si j'ai un conseil à vous donner, vaut mieux pas jouer à ce petit jeu-là, avec moi.

MUGUETTE

Alors quoi... on ne peut plus plaisanter ?

POULET

Je vous le conseille pas.

MUGUETTE

Très bien. Je ferai attention. Mais dites donc, Poulet, vous savez que tous ces appareils qu'on m'a donnés, ils sont toujours dans cette voiture à se mouiller, parce que la capote prend l'eau !

POULET

Ne vous faites pas de bile pour eux. On ne peut pas les sauver. Est-ce que vous pouvez essayer de comprendre cette combine si je vous l'explique, ou bien est-ce que vous pensez que ça ne vous regarde pas ?

MUGUETTE

Mais si... ça m'intéresse beaucoup... cette combine. Est-ce que l'eau bout déjà ?

POULET

Laissez-la bouillir. Elle a le temps.

MUGUETTE

Mais j'ai dit à Lot que j'allais...

POULET

Bon, alors vous n'avez pas envie que je vous en parle, de ma combine.

MUGUETTE

Oh, mais, pas du tout. C'est pas vrai !

POULET

Alors je vais vous expliquer.

MUGUETTE

Oui, parfait, allez-y ! Vous pensez ! Je suis impatiente de connaître tout ce qui regarde cette maison, où je vais vivre.

POULET

Lot et moi, on est demi-frères. Vous vous êtes bien mis ça dans le crâne ?

MUGUETTE

Oh, oui, ça je le sais. C'est venu dans la... dans la conversation qu'on a eue quand on... s'est rencontrés, cet... après-midi.

POULET

C'est ça. Vous avez bien compris. Alors vous savez peut-être aussi le reste.

MUGUETTE

Je vais vous verser un peu à boire pendant que vous m'expliquez tout ça.

(Elle essaie de soulever la bonbonne, mais elle tremble si fort qu'elle n'y parvient pas.)

POULET

Vous ne pouvez pas arriver à la soulever ; c'est l'impatience qui vous rend nerveuse. Ouvrez la bouche. C'est *moi* qui vais vous verser un peu à boire, tenez. Au goulot

MUGUETTE

Merci, merci beaucoup. Une nuit comme ça, on ne peut pas la passer sans boire un peu. C'est pas votre avis ?

POULET

Ouvrez la bouche.

(Elle ouvre un peu la bouche. Il en approche le goulot de la bonbonne, et le liquide se répand sur le menton et le cou de Muguette.)

MUGUETTE

Oh, ça va tacher ma robe !

POULET

Vous n'avez rien avalé. Vous avez tout laissé dégouliner.

MUGUETTE

Je n'avais pas vraiment soif. Mais buvez, vous. J'aime bien regarder les hommes boire.

POULET

Ce que je veux, moi, c'est vous expliquer toute cette combine. J'ai encore pas mal de choses à vous apprendre.

MUGUETTE

Pas mal de choses ?

POULET

Le vrai fils de Papa, c'est Lot. Légitime et tout. Celui que vous avez devant vous n'est qu'un bâtard, un poulain sauvage, comme on les appelle ici. (*Il s'assied sur la table, en pleine lumière.*) J'avais déjà dix ans quand il a épousé cette petite blonde qu'il a été dénicher chez un coiffeur de Clarcksdale. Alors, vous m'écoutez ou vous êtes trop nerveuse ?

MUGUETTE

Je vous écoute. J'ai les oreilles grandes comme ça !

POULET

C'est pas tellement les oreilles qu'on remarque, chez vous, mais vous avez intérêt à bien les ouvrir. Cette petite dame qui travaillait chez un coiffeur, elle s'appelait Miss Lottie, alors c'est pour ça, quand Lot est né, on l'a appelé Lot. Des parents mariés ; il n'avait pas à s'en faire. C'était pas un corniaud... Comme moi... Un corniaud. Vous savez ce que c'est, un corniaud ?

MUGUETTE

Non, je ne suis pas très sûre de savoir. Tout ce que je sais, c'est que vous avez l'air...

POULET

... noiraud ?

MUGUETTE

Étranger... Vous êtes étranger ?

POULET

D'Alabama. C'est là que mon salaud de père m'a fait avec une noiraude. Elle vivait avec lui, là-bas... Alors, qu'est-ce que vous en dites ?

MUGUETTE

Mais... rien ! (*Une courte pause.*) Vous ne buvez plus ? Une nuit pareille ?

POULET

Vous êtes payée au verre, ou quoi ?

MUGUETTE

Je n'aime pas boire seule. Ça me déprime.

POULET

Vous pouvez y aller. Vous roulerez sous la table avant moi, ce soir.

MUGUETTE

J'aimerais mieux rester sur mes jambes, avec cette inondation.

Pour vous noyer debout ?

Oh, taisez-vous ! Mais je sais bien que je peux compter sur vous.

... Revenons à mon affaire... La mère de Lot, Miss Lottie, elle était bien tranquille d'enterrer mon père. Il avait soixante ans quand ils se sont mariés.

C'est ça que vous appelez la combine ?

Fermez-la et ouvrez les oreilles... Elle n'était pas plutôt mariée qu'elle a commencé à le cocufier avec un beau gars, bien plus jeune, un Grec qui tenait une épicerie en ville. Alors, tous les après-midi, Miss Lottie disait à Papa : « Je vais aller faire un tour en ville, je crois bien ; je voudrais faire une bonne salade de fruits pour ce soir. » Et puis quand elle arrivait là-bas, le type fermait boutique et ça durait deux heures. Elle rappliquait avec quatre ou cinq pêches, comme s'il lui avait fallu tout ce temps-là pour acheter ce malheureux pochon.

Pourquoi est-ce que vous ne l'avez pas dit à votre père ?

Si je lui avais dit, il lui aurait dit que c'était moi qui lui avais dit, et elle m'aurait fait foutre dehors en cinq sec !...
Enfin, elle l'a tout de même enterré, mon père, et elle a eu la maison pour elle, mais ça n'a pas duré longtemps. Le

Grec a vendu son épicerie, il a plaqué Miss Lottie, et puis il est parti... Seulement lui il n'a quitté que la ville, tandis que Miss Lottie...

Elle est morte. Oui, Lot m'a raconté... C'est affreux.

N'empêche qu'elle a tout de même eu le temps de me ficher dehors. Elle m'a fait venir un jour dans son petit salon, et elle m'a viré comme un garçon de ferme : « Poulet », elle m'a dit, « maintenant tu peux ficher le camp d'ici et aller faire ta vie ailleurs ». Alors je lui ai dit : « Bon, donnez-moi ce qui me revient. » Ce qu'elle m'a donné, c'était à peine la paie d'un ouvrier pour une semaine de boulot. Ça m'a tout juste permis de descendre à Meridian, où je me suis fait embaucher dans une scierie, jusqu'à... Et puis alors voilà ce qui s'est passé... Ses petits voyages à l'épicerie, ça lui manquait tellement, à Miss Lottie, qu'elle en a perdu l'appétit, le sommeil... et puis la vie. Un mois après, c'était le tour de Lot. Il a commencé à crever. Il a bien essayé de s'occuper du domaine, avec son poumon en moins et l'autre moitié, mais il a pas mis longtemps à se rendre compte qu'il ne pouvait pas, alors j'ai commencé à entendre parler de lui. Il m'a fait dire de revenir pour que je m'en occupe à sa place, il m'a envoyé deux lettres, et puis un télégramme, pour finir. Le premier, et peut-être bien le dernier que je recevrai jamais, moi. Poulet, reviens, qu'il y avait dessus, on s'arrangera... Tu parles ! J'suis pas né de la dernière pluie !

Oh oui, ça c'est bien vrai ! Surtout ici.

Quoi ? Alors je lui ai répondu : « D'accord, mais l'arrangement, c'est moi qui le fais. » Je lui ai dit : « Si tu veux que je m'occupe de la propriété à ta place, c'est pas difficile. Quand ces foutus bacilles auront eu ta peau... faut qu'elle me revienne... »

MUGUETTE

Sa peau ?

POULET

Vous faites pas attention à ce que je vous dis. Pas sa peau. La propriété, la maison, quoi !

MUGUETTE

... Ah !... Alors c'est ça la combine.

POULET

Oui, Madame, c'est ça la combine.

MUGUETTE

Ah. Oui, oui, oui. Je vois...

POULET

Ça n'a pas l'air de vous faire plaisir !

MUGUETTE

Vraiment ? Mais, qu'est-ce que vous voulez, vous ne pensiez tout de même pas que ça me ferait sauter de joie. Après tout, c'est humain, non ? Et puis...

POULET

Et puis quoi ?

MUGUETTE

... Oh, rien, rien, mais...

POULET

Mais quoi ?

MUGUETTE

... mais si Lot meurt je suis sa veuve et...

POULET

Ben, justement, c'est là que je voulais en venir, c'est ce petit détail qu'il faut essayer de régler, pendant qu'on est encore au sec, dans cette cuisine. Faut que je prenne une décision.

MUGUETTE

Quel genre de décision ?

POULET

Une décision grave. Pour vous comme pour moi... Vous avez déjà grimpé sur un toit ?

MUGUETTE

Moi ? Sur un toit ? Non. Pas que je me souvienne. Je n'ai pas... l'impression... Pourquoi ? Pourquoi est-ce que vous me demandez ça ?

POULET

Parce que si vous ne pouvez pas grimper sur un toit, eh bien, Lot n'aura pas de veuve, quand l'eau va arriver. Alors, maintenant, vous comprenez pourquoi je vous demande ça ?... Oui. Je vois que vous avez compris. Donc, pour en revenir à... Qu'est-ce qui vous prend ? Pourquoi vous vous levez comme ça ? (*Muguette vient de se dresser, comme mue par un ressort. Son expression reflète la profonde angoisse qui l'étreint. Elle a le souffle rauque et précipité.*) Vous avez encore la respiration difficile. C'est toujours le chat qui vous gêne ?

Non, non, non, non, non, non !

POULET

Je peux le remettre dans la cave s'il vous donne de l'asthme.

MUGUETTE

Non, non, non, ça va, je vais très bien... je vous assure...

POULET

Alors, restez donc assise ! Vous n'êtes pas bien sur ce coussin ?

MUGUETTE

Mais si... très bien !

(Muguette reste debout, les yeux grands ouverts, égarée. Il se lève, sans hâte, prend le coussin, l'examine, l'époussette et le replace sur la chaise.)

POULET

Vous autres, les femmes, vous êtes rudement chaudes. Il est encore tout brûlant, votre coussin. Faut vous rasseoir pendant que je finis de vous expliquer mon affaire !

MUGUETTE

Oh, c'est très clair, maintenant, j'ai tout compris, et je voulais que vous sachiez : tout ce que vous venez de me dire, ça me convient très bien, à moi. Je trouve ça parfait, je vous jure, sur la tête de ma mère. Je ne réclame rien, moi, ici. Vous savez, c'est drôle comme on change d'idée. C'est fou ce que ça va vite, vous ne trouvez pas ? Je m'étais mis dans la tête que j'allais me faire une petite vie bien tranquille, avec un mari et tout ; me ranger, quoi ! Et puis, tout d'un coup, je n'ai plus qu'une envie, c'est de remonter sur les planches !... Oui, c'est ça que je vais faire. Plus de graisse, plus de sucre, plus de friture, je retrouve la forme, et puis je fais ma rentrée. On reste jeune, on reste souple, on reste vivant. Il n'y a rien de tel pour garder la santé... Maintenant je crois qu'il serait tout de même temps que je remplisse cette bouillotte et que je la monte à ce pauvre gosse que j'ai épousé... Que Dieu nous protège tous les deux !

(Elle se dirige vers la cuisinière mais il la prend par le poignet.)

POULET

Vous allez rester assise ici ; j'ai pas encore fini. C'est compris ?

MUGUETTE

Mais... bien sûr !

POULET

Bon. Et buvez un coup. C'est peut-être bon pour votre asthme.

MUGUETTE

Vous croyez ? Merci ! (*Elle tremble tellement qu'elle doit prendre son gobelet à deux mains pour le porter à ses lèvres.*)... merci...

POULET

Donc je lui ai dit. Je lui ai dit, à mon demi-frère, à Lot. Je veux que tout soit pour moi quand tu auras mis les bouts. J'ai passé ma vie ici, je veux la finir ici. J'y étais avant toi, je veux y rester après. Vous avez bien compris ? C'est bien clair, à présent ?

MUGUETTE

Oui, oui, tout à fait clair.

POULET

Bon. Donc le domaine, c'est pour le Poulet, le domaine et tout ce qu'il y a dessus, c'est pour moi quand tu meurs.

MUGUETTE

Quand je meurs ? Moi ?

POULET

Mais non, Lot !

MUGUETTE

... Ah !...

POULET

Ouais ! « Ah !... » On en arrive au détail à régler...

MUGUETTE

Mais je vous ai déjà dit que je...

POULET

Et à vous, on vous a jamais dit que vous parlez trop ? Si j'avais une femme qu'aurait la langue aussi bien pendue, je lui aurais foutu un bâillon, moi. D'accord, je lui dis. D'accord. Voilà mes conditions, et je les veux par écrit, tout de suite, sinon je repars. Alors il m'a dit : Reste, reste, on va écrire tout ça. Alors, on l'a fait. On est allés chez le notaire, avec des témoins. On a signé devant eux, les noms, les cachets, tout ça. Impeccable. Réglo. Tenez ! (*Il sort son portefeuille, fermé par un gros élastique.*) J'ai ce papier pour le prouver. Ce papier qu'on a fait faire chez le notaire, avec les cachets et les signatures dessus. (*Elle tend la main au moment où il extrait le papier de son portefeuille.*) Oh, pas touche ! Il y a des gens qu'ont les doigts crochus !... Pouvez regarder seulement !... Compris ? Il ne me quitte jamais, ce papelard. Je dors avec sous mon oreiller, et quand je me réveille le matin, devinez ce que je trouve ? Ma main qui est crispée sur mon portefeuille. Même quand je dors, je le lâche pas, ce papier ! J'y tiens plus qu'à la prunelle de mes yeux, parce que c'est grâce à ça que j'aurai le domaine quand mon demi-frère ne sera plus là ! Alors vous comprenez, maintenant ?

MUGUETTE

Oh, oui, maintenant je comprends.

POULET

Vous ne l'avez même pas regardé. Jetez-y un coup d'œil, allez-y ! (*Il agite le papier devant elle.*) Est-ce qu'il a pas l'air régulier ? Vous voyez le cachet du notaire et les signatures des témoins ? Là, en bas. Et puis vous voyez celle de Lot, et la mienne, au-dessous ?

MUGUETTE

Oui, oui !

POULET

Vous voulez que je vous donne plus de lumière ? Vous verrez mieux. (*Il monte la mèche de la lampe.*) Voilà. Comme ça vous verrez mieux !

MUGUETTE

Ça a l'air... tout à fait... régulier.

POULET

... Oui, mais... on ne sait jamais...

MUGUETTE

... Quoi donc ?

POULET

Un avocat juif un peu finaud, ça trouve toujours la petite bête, ou ça l'invente s'il n'y en a pas !... surtout s'il restait une veuve... Vous devez me trouver un peu dur. Qu'est-ce que vous voulez, faut bien. Faut être aussi dur que la vie, quoi ! C'est du roc, la vie. Alors, l'homme aussi faut que ce soit du roc. Sinon, il y en a un des deux qui cède, et c'est pas la vie, vous pouvez être tranquille. Celui qui cède, c'est le plus faible, et c'est jamais la vie qu'est la plus faible, ça non ! Du roc, je vous dis... Ouais... Du roc ! Et du vrai... Bon, alors, maintenant que vous avez bien vu qu'il était régulier, mon papier, je le range.

MUGUETTE

Mais oui, je vois bien. Il est tout à fait régulier.

POULET

Oui, seulement les lois, c'est plein d'embrouilles. J'avais jamais pensé que Lot allait se marier. J'avais pas prévu qu'il pourrait laisser une veuve. Ça non ! Alors, vous comprenez, c'est une décision importante à prendre. Est-ce que je vais vous faire grimper sur le toit quand on va être inondés, ou bien... Parce que si je vous prends avec moi, Lot aura une veuve, et ce machin-là ne vaudra même plus le prix du papier. Vous voyez ce que je veux dire ? Vous comprenez bien qu'il faut que je pèse le pour et le **contre, à un poil près.** C'est normal, non ?... Une veuve ! Ça alors, j'y avais jamais **pensé** ! Vous voyez comme c'est facile de se faire baiser ! Les lois, c'est qu'un sac de nœuds. J'avais tout prévu sauf ça. Voilà que ce salopard se marie et me laisse une veuve sur les bras. C'est que ça change tout. Peut-être que mon arrangement ne vaudra plus rien, s'il y a un procès.

MUGUETTE

Moi je... je ne me ferais pas de bile pour ça.

POULET

Ben, tiens, pardi ! Vous n'avez pas de bile à vous faire, vous ! C'est vous qui l'auriez, la baraque ! Pas moi !

MUGUETTE

Mais... mais... mais je n'en veux pas ! Qu'est-ce que vous voulez que j'en fasse ?

POULET

Que vous la vouliez ou pas, vous l'auriez quand même, s'il suffit d'une veuve...

MUGUETTE, *se levant*.

Voyons, Poulet !

POULET

... s'il suffit d'une veuve pour qu'il ne vaille plus rien, mon papier !

MUGUETTE

Poulet, Poulet, écoutez-moi !

POULET

Voilà ce qu'il s'est dit, cet enfant de salaud ! Il a voulu me baiser en laissant une veuve. Seulement il y a une chose qu'il n'avait pas prévue, c'est que la maison serait sous la flotte, et lui aussi, avec sa veuve...

MUGUETTE

Voyons, Poulet, écoutez-moi !

POULET

Sous la flotte, sa veuve et lui !

MUGUETTE

Poulet !

POULET

... Noyés tous les deux... si je ne la tire pas de là, sa veuve !

MUGUETTE

Poulet, je... je suis en train d'étouffer ! J'ai une sale crise d'asthme, c'est ce...

POULET

Hein ?

MUGUETTE, *haletant.*

C'est cette espèce d'allergie qui me...

POULET

Vous voulez que je mette le chat dehors ?

MUGUETTE

Pas... pas... pas dans la cave, mais...

POULET

Viens, Minet. Va te promener dans le salon.

> *(Il prend le chat et sort. Il le jette dans le salon et en referme la porte d'un coup de pied. Muguette suffoque comme un poisson dans une épuisette, et se retient à la table pour ne pas tomber.)*

MUGUETTE

Écoutez, Poulet, cette... cette... cette blague a assez duré... Je, je... Nous...

POULET

Respirez d'abord un bon coup avant de parler.

MUGUETTE

J'essaie, mais j'ai du mal !... Lot et moi on n'est pas... on n'est pas mariés !

POULET

Vous êtes pas mariés ?

MUGUETTE

Non, bien sûr que non ! Vous voulez rire ? (*Elle essaie de rire.*) Vous n'avez pas cru ça, tout de même ? Ha, ha ! Ça m'étonne que vous soyez aussi... aussi naïf ! Ha, ha !... Ha... ha... Voyons, ce garçon et moi, on n'est pas plus mariés que le pape !

POULET

Il m'a montré votre licence.

MUGUETTE

Oui, mais vous avez dit vous-même qu'on pouvait acheter ces trucs-là pour deux sous dans un bazar quand on voulait aller coucher avec une fille dans un hôtel !

POULET

Et le papillon « Jeunes Mariés » sur le pare-brise, alors, et la godasse attachée au pare-chocs ?

267

MUGUETTE

Une blague, je vous dis, une blague ! Ha, ha !

POULET

On blague pas avec ces choses-là.

MUGUETTE

Eh bien, ce n'était qu'une blague, Poulet, rien qu'une blague ! Ha, ha !

> *(Son rire est proche du râle et s'achève dans un sanglot étouffé.)*

POULET

Ouais. Bon. Mettons.

MUGUETTE

Il n'y a pas de « mettons ». Je le sais bien que je ne suis pas mariée, tout de même !

POULET

Non ?

MUGUETTE

Mais non ! Écoutez, quand je sauterai le pas, et ce n'est pas une petite affaire, dans la vie, de se marier, j'irai tout de même pas choisir... un tubard ! Et puis il n'y a pas que ça ! Vous ne savez pas ce qu'il fait, en plus ?

POULET

Non, mais ça ne va pas tarder.

MUGUETTE

Eh bien, il se teint les cheveux, ce pauvre garçon, il est tubard et il se décolore. Non, écoutez, sérieusement ! Vous me voyez abandonner ma carrière pour épouser un... pour épouser un... un... un...

POULET

Qu'est-ce qui ne va pas, encore ?

MUGUETTE, *grimaçant.*

Ma gorge ! Elle est nouée !

POULET

C'est les mensonges qui passent pas !

MUGUETTE

Non ! Non !

POULET

Voilà ce que c'est de mentir, ça vous étouffe !

MUGUETTE

Voyons, Poulet.

POULET

« Voyons, Poulet. »

MUGUETTE

Oh, ne recommencez pas, je vous en supplie !

POULET

Faudrait que je jette encore un coup d'œil à ce papier. Montez me le chercher.

269

MUGUETTE

Mais quel... quel papier ?

POULET

Cette licence, soi-disant achetée dans un bazar.

MUGUETTE

C'est Lot, c'est Lot qui l'a, c'est lui ! Moi, moi je ne l'ai pas, c'est lui qui l'a !

POULET

Bon Dieu. J'ai jamais vu quelqu'un dans un état pareil. Qu'est-ce que vous avez ?

MUGUETTE

Je vous ai dit que j'avais une peur horrible... (*Elle se détourne, suffoquant comme une noyée.*)... de l'eau ! (*Elle continue de suffoquer, et finit par se laisser tomber sur une chaise.*)... Ça date de mon baptême, parce que le pasteur m'a tenu la tête sous l'eau... trop longtemps...

POULET

Mais quoi, merde ! je ne vais pas vous tenir la tête sous l'eau ! D'ailleurs, ça ne serait pas la peine. Si vous n'êtes pas capable de grimper sur le toit au moment de l'inondation, et ça ne m'étonnerait pas, ça ne serait vraiment pas la peine. A moins que vous vous mettiez à flotter comme un bouchon. Est-ce que vous êtes un bouchon ?

MUGUETTE

Mon Dieu, Poulet, vous pouvez bien me croire sur parole ! Je ne suis pas la veuve de Lot, enfin je veux dire que je ne serai pas sa veuve quand il mourra, puisqu'on n'est pas mariés.

POULET

Allez chercher le papier.

MUGUETTE

... Maintenant ?

POULET

Oui, tout de suite.

MUGUETTE

Attendez que je retrouve mon souffle.

POULET

Vous le retrouverez plus tard.

MUGUETTE

Mais je ne peux pas monter comme ça. Et puis l'eau est chaude, maintenant, il faut que je la fasse, cette bouillotte.

POULET

D'accord, remplissez votre bouillotte mais rapportez-moi le papier ; je veux le regarder de plus près.

MUGUETTE

Aidez-moi. Je ne peux... pas y... arriver.

(Elle laisse échapper la bouillotte. Poulet la ramasse et la remplit.)

POULET

Voilà. Maintenant montez-lui ça et dénichez-moi cette licence de mariage pendant que vous êtes là-haut. (*Elle se dirige vers l'escalier, lui tournant le dos.*) Et plus vite que ça !

MUGUETTE

Mais je n'ai plus de souffle !

POULET

Vous voyez bien que si puisque vous parlez !

> (*Elle monte au premier étage et ouvre la porte de la chambre.*)

MUGUETTE, *chuchotant.*

Lot ? Lot, mon chéri ? Tu dors, mon chou ? (*Sous le feu des projecteurs, il ressemble à une idole orientale. Il ne répond pas, et se contente de se balancer dans son fauteuil, au clair de lune.*) Comment te sens-tu maintenant, mon petit ?

LOT

Tu vois : je respire encore. Est-ce que tu as saoulé Poulet ?

MUGUETTE

Je crois que je n'y arriverai jamais ; l'alcool, ça ne lui fait pas le moindre effet.

LOT

Alors, tu n'auras pas le papier, et lui, il aura la maison.

MUGUETTE

... Oh...

LOT

Tu as l'air bien résignée, Muguette.

MUGUETTE

... S'il y a de l'eau jusqu'au grenier, c'est pas toi qui me tireras de là !

LOT

Je vois. Il t'a promis de te faire grimper sur le toit.

MUGUETTE

N'oublie pas que c'est toi qui m'as amenée ici ; c'est à cause de toi que ma vie dépend de lui.

LOT

Je croyais que tu aurais su le manier.

MUGUETTE

Et en plus tu ne m'avais pas prévenue.

POULET, *appelant du rez-de-chaussée, impatiemment.*

Alors ? Vous redescendez ?

LOT

Qu'est-ce qui lui prend ? Il t'aime tellement ?

MUGUETTE

J'ai ta bouillotte. Voilà ta bouillotte.

LOT

Je n'ai plus froid. Je brûle de fièvre, à présent. C'est de la glace qu'il me faudrait.

Mon petit chou, tu sais bien qu'il n'y a pas de glace dans la maison.

LOT

Qu'est-ce que vous faisiez en bas, tous les deux ?

MUGUETTE

J'attendais que l'eau soit chaude pour te faire cette bouillotte que tu ne veux plus.

LOT

Veux-tu que je te dise ?

MUGUETTE

Quoi donc ?

LOT

Je crois que tu es une putain.

MUGUETTE, *avec une tristesse presque tendre.*

Mon petit chéri, on ne m'a jamais rien dit de plus affreux. Je le jure sur la tête de ma mère ! Quand je pense à ce que j'ai enduré pour rester une fille honnête, et c'est mon mari qui me traite de putain ! Au bout de deux jours...

LOT

Je veux dire que j'ai l'impression d'avoir épousé une prostituée pour l'offrir à Poulet.

MUGUETTE

Je sais, je sais très bien ce que tu as dit. Ce n'est pas la peine de le répéter. Ce qui est bizarre dans tout ça, c'est que moi, je ne t'ai rien reproché, à toi ! C'est toi qui te plains de moi ! Et qui m'insultes, par-dessus le marché !

(Ces répliques se chevauchent dans un duo très violent.)

LOT

J'ai épousé une putain...

MUGUETTE

Je suis pleine de bacilles...

LOT

... et je l'ai ramenée ici pour lui...

MUGUETTE

... parce que tu m'as menti ! Menti ! Et en plus tu as les cheveux teints et...

LOT

Une sale putain, et je la lui ai amenée pour qu'il la baise pendant que je suis en train de crever dans ce fauteuil. Traînée !

MUGUETTE

Mon Dieu !... Ce qu'on peut être ignoble !... Après ça, je descends.

LOT

Naturellement ! Et ça fait combien de fois que tu descends le retrouver ?

MUGUETTE

Cette fois-ci, c'est la dernière. Je ne remonterai plus. Tant que tu ne m'auras pas fait des excuses, et encore... Même des excuses, je ne sais pas si...

> *(Elle se dirige vers la porte, puis revient sur ses pas et fouille dans la poche du manteau de Lot, suspendu à un clou, sur le mur.)*

LOT

Qu'est-ce que tu fais ? Qu'est-ce que tu as pris dans mon manteau ?

MUGUETTE

Notre licence de mariage ! Ton demi-frère veut voir si elle est vraie. *(Elle sort, et Lot se met à rire au moment où elle ferme la porte. Elle la rouvre et demande :)* De quoi ris-tu ?

LOT

De la vie !... Je la trouve drôle...

MUGUETTE

Moi, je trouve que c'est un cauchemar...

LOT

Ça peut être drôle, un cauchemar !

MUGUETTE

A ce point-là, tout est possible...

> *(Elle referme la porte, assez doucement. Poulet l'attend dans le vestibule, tandis qu'elle descend.)*

SCÈNE VI

(Muguette pénètre dans la cuisine.)

MUGUETTE

Tenez, la voilà. C'est ça. *(Elle lui tend la licence.)* Vous voyez bien qu'elle est fausse.

POULET

... Il y a des signatures dessus.

MUGUETTE

Bien sûr, ils mettent des signatures pour que ça fasse vrai, mais...

POULET

Moi, ça m'a l'air tout à fait régulier.

MUGUETTE

Je le jure sur la tête de ma mère !... Ce truc-là c'est du flan !

POULET

Laissez donc la tête de votre mère tranquille. Je lui veux pas de mal, à cette pauvre vieille. Et puis elle s'en fout, et moi aussi. En tout cas, je vais garder ce machin-là. Je le range avec l'autre. *(Il range la licence dans son porte-feuille, puis observe Muguette, d'un air méditatif.)* Vous savez écrire ?

MUGUETTE

Mais... oui !

POULET

Pas seulement signer ?

MUGUETTE

Non ! Enfin, je veux dire, oui !... J'ai été à l'école jusqu'à douze ans.

POULET

Asseyez-vous là. Je vais vous faire faire un petit essai pour voir. (*Il arrache la première feuille d'un bloc et la pose devant elle, avec une plume et de l'encre.*) Vous savez écrire et moi je sais lire ; ça tombe bien. Vous voyez cette plume et ce papier, devant vous ?

MUGUETTE

Oui ! Bien sûr ! Évidemment !

POULET

Alors vous écrivez debout ?

MUGUETTE

Oui ! Enfin, non !

(Elle s'assied vivement.)

POULET

Maintenant, prenez cette plume, et écrivez sur ce papier ce que je vais vous dire.

MUGUETTE

Mais qu'est-ce que vous voulez que... ?

POULET

Silence ! Je vais vous dicter une lettre que vous allez écrire et signer. Une lettre pour moi.

MUGUETTE

Pourquoi voulez-vous que je vous écrive une lettre puisque... puisque vous êtes là ?

POULET

Vous comprendrez en l'écrivant. Et appliquez-vous, que ce soit bien lisible.

MUGUETTE

... J'ai la main qui...

POULET

Qu'est-ce qu'elle a, votre main ?

MUGUETTE

Elle tremble !

POULET

Retenez-vous.

MUGUETTE

Dans l'état où je suis, ce n'est pas facile.

POULET

De quelle main écrivez-vous, la gauche ou la droite ?

MUGUETTE

Oh, la droite, je suis droitière.

POULET

Alors, donnez-la-moi, cette main droite.

MUGUETTE

Qu'est-ce que vous voulez en faire ?

POULET

L'empêcher de trembler.

> *(Il prend la main de Muguette dans les siennes.)*

MUGUETTE

Ce que vous avez de grandes mains, Poulet !

POULET

Vous sentez les cals, dessus ? Ils me sont venus à force de trimer toute ma vie dans cette saloperie de baraque. On m'a fait travailler comme un nègre pour le gîte et le couvert, et encore, fallait voir ça : une paillasse dans la cuisine et des épluchures dans l'auge à cochon. Mais ça finit par changer, les choses, petit à petit. Il suffit d'attendre son heure. Et quand elle sonne, elle sonne dur, croyez-moi. (*Il lui frotte la main entre les siennes.*) Eh bien maintenant ça y est, c'est arrivé. Tout ça va être à moi, dès que la maison sera sous l'eau. Je vous promets que je ne serai pas malheureux, là-haut sur mon toit, en attendant que ça baisse !

MUGUETTE

Non. Moi non plus. Je serai... je serai contente... et soulagée !

POULET

Si vous êtes encore de ce monde.

MUGUETTE

Ne me faites pas retrembler.

POULET

Vous me trouvez dur, hein ?

MUGUETTE

Je n'aime pas les hommes faibles.

POULET

Savez-vous ce que c'est, la vie ?

MUGUETTE

C'est l'Enfer, voilà ce que c'est.

POULET

Moi, je crois que c'est la guerre. Elle n'aime pas les vaincus, la vie. Ni les faibles. Faut être aussi dur qu'elle. Alors, vous ne tremblez plus, maintenant ?

MUGUETTE

Non. Je ne tremble plus parce que...

POULET

Pourquoi ?

MUGUETTE

Parce que mon cœur me dit que vous ne détestez pas Muguette.

POULET

Je ne déteste personne et je n'aime personne. Bon, maintenant prenez cette plume, tenez-la bien, et écrivez ce que je vais vous dicter. (*Elle prend la plume et la serre très fort.*) Vous savez, ça n'écrira pas sans encre ! (*Elle trempe la plume dans l'encrier.*) Prête ?

MUGUETTE

Prête. Je suis d'aplomb, maintenant.

POULET

Je dois faire attention à mettre ça comme il faut ; c'est trop important pour le foutre n'importe comment.

MUGUETTE

Il n'y a qu'à faire un brouillon d'abord, et puis... on le mettra au propre.

POULET

C'est pas la peine. J'y suis, maintenant. Alors, écrivez bien, en majuscules, ou en lettres d'imprimerie, hein ? « Moi, Mme Lot Ravenstock, si j'avais des droits sur le domaine qu'on appelle "Le Perchoir", ou sur n'importe quoi d'autre, je les laisse tomber et j'y renonce quand mon mari sera mort. Parce que ce domaine revient à Poulet. J'étais au courant de cette combine avant mon mariage à la télé, et le papier de Poulet, avec le cachet du notaire et les signatures des témoins, reste bon. Je déclare que le domaine, et tout ce qu'il y a dessus, sera pour Poulet, et rien que pour lui, quand Lot Ravenstock mourra, et même si je suis noyée par la crue, qui est une catastrophe... naturelle. »

MUGUETTE, *qui vient d'écrire à toute vitesse.*

« Et rien que pour lui, quand Lot mourra. »

POULET

Maintenant, mettez les virgules et les points sur les i, et puis barrez les t et signez votre nom, bien au milieu.

MUGUETTE

Oui, oui, ça y est, je l'ai déjà fait.

POULET

Donnez-moi ça. (*Il prend le papier.*) Ouais. Je parie que vous n'avez jamais décroché le prix de dictée ni d'écriture, quand vous étiez à l'école, mais enfin ça peut se lire si on en a besoin, au cas où vous seriez encore vivante après la crue. Il y a encore un ennui, tout de même. Il n'y a pas de cachet du notaire ni de témoins pour que ça soit régulier !

MUGUETTE

Oh, on pourra s'occuper de ça plus tard !...

POULET

Vous avez écrit ce truc parce que vous avez peur d'être noyée. Mais je ne peux pas être sûr que vous ne ferez pas marche arrière quand la crue sera passée !

MUGUETTE

Je vous jure que non.

POULET

Enfin, c'est quelque chose, et quelque chose, c est mieux que rien. Ça vaut le coup de le garder dans mon porte-feuille, avec la lettre de Lot qui est régulière et votre licence, vraie ou fausse.

MUGUETTE

Vous pouvez me croire, Poulet. Je vous ai donné ma parole, et ma parole, c'est sacré.

POULET

C'est pas votre parole qui me rassure, c'est autre chose.

MUGUETTE

Autre chose ? Quoi donc ?

POULET

... Vous êtes faible.

MUGUETTE

J'ai toujours été faible en face des hommes. Enfin, des vrais hommes. C'est normal, non ?

> *(Au cours de ce dialogue, ils étaient assis symétriquement, de chaque côté de cette petite table de cuisine carrée, leur chaise tournée face au public. A présent, Poulet se lève et s'approche de Muguette.)*

POULET

Vous allez me répondre en me regardant bien dans les yeux.

MUGUETTE

Vous répondre à quoi ?

POULET

Est-ce que vous pouvez embrasser avec plaisir un homme qu'on soupçonne d'avoir du sang noir ?

MUGUETTE

Non ! Si ! Ça me serait égal.

POULET

Faisons un essai. Mettez vos bras autour de mon cou et donnez-moi un baiser sur la bouche. En ouvrant les lèvres. *(Elle s'exécute, mal à l'aise, raide. Pendant qu'il l'embrasse, Poulet pose les mains sur ses hanches. Puis, se détachant d'elle.)*... Alors ? Comment c'était ? Dégoûtant ?

MUGUETTE

Non, pas du tout. Je suis contente et ça me soulage que vous ayez voulu m'embrasser, Poulet.

POULET

Ce baiser, c'était qu'un début, vous savez. La suite aussi ça vous soulagera ?

MUGUETTE

J'ai beaucoup de tempérament, vous savez. Je peux même dire que je suis une passionnée. Il y a un docteur de Memphis qui m'avait donné des pilules pour me calmer, mais ça n'a servi à rien. Elles n'ont pas d'effet, je n'en prends plus... Vous ne vous rendez pas compte que je ne reviendrai jamais sur cette lettre que vous m'avez dictée ? Même si je pouvais, je ne le ferais pas !

POULET

Oui, j'ai bien l'impression.

> *(Poulet s'assied sur la table de la cuisine, juste en face de Muguette, les jambes largement écartées.)*

MUGUETTE

Vous ne seriez pas mieux sur une chaise ?

POULET

Je ne serais pas aussi près de vous... Je suis juste en face. maintenant.

MUGUETTE

Elle est... haute... cette table. Je suis obligée de tendre le cou pour voir votre figure.

POULET, *avec une mimique pleine de sous-entendus.*

... Vous n'avez pas besoin de me regarder la figure. Il n'y a pas que ça qui compte, chez un homme, pas vrai, ma jolie ?... (*Elle fond en larmes, soudain, comme une enfant.*) Pourquoi est-ce que tu pleures ? C'est pas la peine de pleurer, tu vas l'avoir, ce que tu veux ! (*Il attrape la lampe et la souffle. La cuisine se trouve plongée dans l'obscurité ; un écran opaque vient la masquer. La lumière éclaire à nouveau la chambre du premier étage où Lot est assis dans son fauteuil sous le rayon intermittent de la lune, que voilent parfois les nuages.*)

LOT

Ils ont éteint la lumière et je n'entends plus rien... Tout ça n'aura servi qu'à lui fournir une femme, lui amener une putain à domicile, qu'il n'aura même pas besoin de payer... Un joli cadeau d'enterrement.

La scène est plongée dans l'obscurité.

SCÈNE VII

L'écran qui cachait la cuisine se relève au moment où Poulet rallume la lampe, posée sur la table. Il est encore juché sur la table et Muguette est à nouveau sur son siège, si près de la table qu'elle est pratiquement entre les bottes de Poulet. D'après son expression, on devine qu'elle vient de vivre une expérience rare et d'une exceptionnelle intensité.

POULET

Que la lumière soit. Il paraît que c'est ce que Dieu a dit le jour de la Création.

(*Une courte pause, tandis qu'il boucle son ceinturon.*)

MUGUETTE

Je voudrais que tu saches que...

POULET

Ça m'étonnerait que tu puisses m'apprendre quelque chose.

MUGUETTE

C'est la première fois que je vais aussi loin avec un homme, et le désir, je sais ce que c'est.

POULET

Aussi loin du premier coup ?

MUGUETTE

Non, en général.

POULET

Sans doute qu'il suffit d'en avoir vraiment envie tous les deux pour que ce soit tout de suite réussi. Mais si tu veux mon avis, ces fameuses petites pilules que tu prends pour te calmer le tempérament, tu ferais bien de les renvoyer à ton toubib de Memphis en lui demandant de te rembourser.

MUGUETTE

Elles doivent être prévues pour des gens normaux, pas pour des ouragans.

POULET

En somme, c'est comme les digues ; ça résiste, et puis ça finit par céder quand la poussée devient trop forte ?

MUGUETTE

Oui, c'est pareil. Exactement pareil.

(Elle se lève et esquisse un geste pour sauter à son tour sur la table.)

POULET

Qu'est-ce que tu fais ?

MUGUETTE

J'essaie de grimper, pour m'appuyer à ton épaule.

POULET

Non, non, reste encore un peu sur ta chaise. Je n'aime pas toucher, ni être touché par une femme, quand on vient d'avoir des rapports ensemble.

MUGUETTE, *se rasseyant sans discuter.*

Ça te dégoûte ?

POULET

Ça ne m'intéresse plus.

MUGUETTE

Ça dure longtemps ?

POULET

Quelquefois cinq minutes, quelquefois dix.

MUGUETTE

C'est des minutes qui valent des heures quand l'amour vous tient.

POULET

Ouais. Je me demande...

MUGUETTE, *avec inquiétude*.

Qu'est-ce que tu te demandes ?

POULET

Si ça te tiendrait encore aussi fort, si je te disais que ce qu'on raconte sur moi, c'est pas entièrement faux.

MUGUETTE

Mais... qu'est-ce qu'on raconte sur toi ?

POULET

Que j'ai du sang noir.

> *(Note : Muguette a l'horreur classique des « petits Blancs » pour les Noirs.)*

MUGUETTE

Oh, mais, voyons... je sais bien qu'il n'y a pas un mot de vrai là-dedans.

POULET, *avec un sourire sournois*.

Et comment le sais-tu ?

MUGUETTE

Lot me l'aurait dit.

POULET

J'ai failli le tuer, un jour, parce qu'il avait raconté que j'avais du sang noir ; il ne l'a pas oublié. Il n'est pas assez bête pour s'imaginer que je ne l'aurais pas su, s'il l'avait dit.

MUGUETTE

Mais alors, pourquoi est-ce que toi tu... ?

POULET

J'ai pensé que tu avais le droit de le savoir, après ce qui s'est passé entre nous.

> *(Horrifiée par cette révélation, Muguette se lève et recule instinctivement sa chaise.)*

POULET

Pourquoi faites-vous ça, madame Ravenstock ?

MUGUETTE

Pourquoi j'ai fait ce que j'ai fait, je... ?

POULET

Tu viens de reculer ta chaise comme si j'étais un monstre.

MUGUETTE

C'est parce que tu balances tes bottes pleines de boue, ça va tacher mon corsage, et...

POULET

Il est déjà plein de taches. Et puis la crue, ça va le laver.

MUGUETTE

Poulet, je t'en supplie, ne me parle pas de cette crue. Tu sais bien comme j'ai peur de l'eau.

POULET

Remets ta chaise où elle était.

MUGUETTE

Je ne sais pas où elle était.

POULET

Alors, qu'est-ce que tu sais ? Rien ?

> *(Muguette remet sa chaise à peu près à l'endroit où elle se trouvait.)*

MUGUETTE

C'est là qu'elle était ?

POULET

A peu près. Et maintenant, écoute-moi. Ma mère avait du sang noir. Elle n'était pas noire, mais elle n'était pas blanche non plus. C'est pour ça que je suis teinté, avec mes yeux clairs, et c'est pour ça que j'ai mené une vie de chien galeux, repoussé par tout le monde, sans un os à ronger. Tu peux demander à n'importe quel salaud, si c'est pas vrai, dans n'importe quelle rue, n'importe où, il te dira que c'est pour ça qu'on m'a traité comme si j'avais la lèpre, dans le pays. Oui, voilà. Qu'est-ce que t'as encore à pleurer ?

MUGUETTE

... C'est... c'est nerveux... c'est par sympathie.

POULET

Tu peux te la garder, ta sympathie, qu'est-ce que j'en ai à foutre, de ta sympathie ? J'en veux pas, de ta sympathie ! C'est bon pour ceux qui sont dans les emmerdements jusqu'au cul, jusqu'aux tétons, jusqu'aux sourcils ! T'as qu'à demander à n'importe quel con, toi y comprise.

MUGUETTE

Je t'en prie, ne me parle pas comme ça.

> *(Elle écarte légèrement sa chaise, tout en reniflant.)*

Tiens, par exemple, un soir, l'hiver dernier, j'aborde une fille au *Dixie Star*, une boîte qui est dans la grand-rue. Cette fille que j'ai abordée bien poliment, on l'appelle La Passoire, parce qu'elle passe son temps à écumer les trottoirs, elle s'envoie tous les types qui traînent dans le coin sans faire le détail.

MUGUETTE

... Il y a des gens qui n'ont pas de honte !

POULET

Ni de pilules qu'ils achètent chez le potard à Memphis ! Enfin, ce soir-là, ça me travaillait tellement que j'en avais les couilles enflées, alors je l'ai abordée quand le type qu'était avec elle il est tombé raide par terre, en dégueulant tout ce qu'il savait. Je lui ai parlé poliment. Je lui ai dit « Bonsoir Miss Bows, comment ça va, quel sale temps », et ainsi de suite. Et puis après je me suis penché vers elle et je lui ai dit, en baissant la voix : « Vous savez, Miss Bows, votre type, il ne pourra plus vous faire grand mal ce soir, n'importe quel con vous le dira. Vous devriez venir vous asseoir près de moi, ma banquette est bien propre, et il me reste encore une chopine de whisky. » Et tu sais ce qu'elle m'a répondu, cette pute ?

MUGUETTE, *entre deux reniflements.*

Je ne sais p... j'pense qu'...

POULET

Eh bien, je vais te le dire, moi. Elle m'a jeté un regard en coin et puis elle m'a dit « Fous-moi la paix, sale nègre, et reste à ta place ». Voilà ce qu'elle m'a dit. Voilà comment elles me traitent, les femmes, par ici. On bavarde, on raconte des histoires, et ça finit comme ça. Et Miss Lottie, la mère de Lot, quand elle m'a fichu à la porte, elle m'a dit : « Poulet, je ne veux pas qu'on dise que mon fils est le demi-frère d'un nègre. » C'est beau, ça, hein ? Ouais, c'est fantastique. Et moi je vais te dire ce qu'il fait, son fils, pour s'amuser. Il se déguise avec les affaires de sa mère qui est morte : ses culottes, ses soutiens-gorge, ses pantoufles, ses robes, tout. Il a même une perruque qu'il s'est fabriquée avec de la barbe de maïs. Tu peux demander à n'importe quel chien dans la rue, il te le dira !

MUGUETTE

Oh, je n'irai pas... demander une chose pareille... à un chien, c'est...

POULET

Quand il descend comme ça, on croirait la voir. Il va s'installer dans le salon, et il se met à parler tout seul, avec la même voix qu'elle. Tu piges ?... Enfin je suis revenu, à présent, et je vis seul, sans voir personne, méprisé par tout le monde.

MUGUETTE

Mais moi, je...

POULET

Oh, quand je vais faire un tour en ville, je peux quand même aller au cinéma à l'orchestre, avec les Blancs, et je regarde une gonzesse qui se balade sur l'écran, dans un peignoir où on peut voir à travers. Tu parles d'un truc ! Il y a même des gosses qui se font plaisir en regardant ça, et on peut pas leur en vouloir ; le cinéma, c'est fait par des vieux cochons, tout le monde sait ça. Au billard, je peux aussi y aller, au billard, mais il n'y en a pas un qu'est pressé de jouer avec moi. Je peux aller dans cette boîte de la Grand-Rue. Je m'assieds dans un coin, personne ne me parle, mais je les entends qui dégoisent dans mon dos. Alors je préfère être seul. Tout ce que je fais, enfin presque tout, je le fais tout seul. Tu peux demander à n'importe quel...

MUGUETTE

Tu devrais, enfin... tu ne devrais pas t'occuper de ces racontars, tu sais bien qu'ils ne sont pas vrais.

POULET

Je viens de te dire que si. Allons, allons ! Tu ne veux pas le croire après les rapports qu'on a eus. Tes vieux devaient être si abrutis, si paysans qu'ils t'ont bourré le crâne avec ça. Ils t'ont fait croire que tu serais à moitié empoisonnée si tu couchais avec un type qu'a du sang noir. Hein ? C'est pas vrai ? Je le sais bien, va !

MUGUETTE

Oh, j'ai été... ça m'a étonnée... sur le moment, mais c'est passé, maintenant.

POULET

N'empêche que t'es encore raide des pieds à la tête. On dirait que tu es assise sur une chaise électrique.

MUGUETTE

Tu sais, aujourd'hui, j'en ai vu de toutes les couleurs. Il y en a qui n'en voient pas tant de leur vie entière.

POULET

T'es comme tes copines de bastringue, en somme ?

(Il descend de la table et se dirige vers la porte extérieure, le seul élément solide qui demeure du mur extérieur, le reste étant seulement suggéré par les éclairages.)

MUGUETTE, *effrayée, se levant.*

Où vas-tu ?

POULET

Ça fait plus de bruit. Je vais aller jeter un coup d'œil à la digue.

MUGUETTE

A quoi ça sert d'y aller ?

POULET

A se rendre compte si elle tiendra ou pas.

MUGUETTE

Ne me... (*Il disparaît.*)... Ne me laisse pas toute seule...

> (*La chambre du premier étage est éclairée par la lune. On y voit Lot qui se lève péniblement de son fauteuil, et le repousse d'un coup de pied. En chancelant, il se dirige vers le placard. Le dos au public, il enlève son peignoir de soie et enfile une vaporeuse robe blanche. Il se coiffe ensuite d'une perruque blonde et se retourne, toujours haletant. Il va jusqu'au pied du lit en titubant et se raccroche aux barreaux de cuivre, puis se laisse glisser sur les genoux.*)

LOT

Tu verras... on les aura... Miss Lottie ! On les mettra dehors... tous les deux !

> (*La lune s'estompe à nouveau, et la chambre disparaît, cachée par un écran opaque. Pendant ce temps-là, Muguette est restée à la porte. Et Poulet reparaît, avec ses bottes couvertes de boue, tel qu'on l'a vu au début de la pièce.*)

MUGUETTE

J'avais peur que tu ne reviennes jamais.

POULET

Tu avais tort, mamzelle.

(Il se rassied sur la table.)

MUGUETTE

... Alors, ces cinq ou dix minutes, elles sont passées, dis ?

POULET

T'as qu'à regarder la pendule.

MUGUETTE

La pendule c'est une mécanique, mais un homme c'est un homme.

POULET

Il t'arrive de dire des choses vraies, de temps en temps.

MUGUETTE

Je le sais bien, et j'en suis fière. Je suis fière aussi de savoir estimer un homme du premier coup. Je suis bien plus forte que toutes mes copines, pour ça. Les détails physiques, je les repère tout de suite. La force dans une belle charpente, des lèvres pleines, des dents blanches, éclatantes. Tu m'as vraiment l'air d'un homme capable de tenir tête à un fleuve en crue !

POULET

Il n'y a pas d'homme capable de ça, mais il y en a qui peuvent passer au travers.

MUGUETTE

Même... avec une femme ?

POULET

Ouais, ouais, même avec une femme... Ça te plairait de vivre ici quand Lot n'y sera plus ?

MUGUETTE

On ne peut pas parler de ça comme ça.

POULET

Comment veux-tu qu'on en parle autrement ?

MUGUETTE

Oui, c'est vrai, tu as raison. Et puis il faut dire que toutes les femmes ont un rêve dans le cœur, un rêve plus cher que tous les autres.

POULET

Qu'est-ce que c'est, ce rêve qu'elles ont dans le cœur ?

MUGUETTE

C'est de vivre un jour, quelque part, avec un homme qui leur plaît plus que les autres.

POULET

Tu n'as qu'à y penser. J'y réfléchirai de mon côté. Évidemment, tu ne peux pas t'aligner avec la fille que j'ai mise au mur, mais...

MUGUETTE

Oh non, non... je le sais bien !

POULET

Oui, je m'en doute que tu le sais, mais je te ferai tout de même grimper sur le toit ce soir s'il faut. Avec une couverture, si on ne se suffit pas pour se tenir chaud.

MUGUETTE

Mais qu'est-ce qu'on mangera, là-haut, si on doit y rester longtemps ?

POULET

Les poulets se réfugieront aussi sur le toit. Si on ne vient pas nous chercher en hélicoptère, on leur boira le sang tout chaud pour se tenir en forme.

MUGUETTE

Oh, je ne pourrai jamais faire une chose pareille !

POULET

Pour sauver sa peau, on fait toujours ce qu'il faut... Alors, c'est bien compris, tout ça ?

MUGUETTE

Je crois qu'on ne peut pas être plus d'accord.

POULET

Bon. Alors, on va arroser ça. (*Il verse à boire dans les gobelets métalliques.*) ... Est-ce que t'as déjà été sauvée ?

MUGUETTE

Mais... non... Enfin... je vais l'être, grâce à toi.

POULET

Mais non, pas par moi. Par Dieu.

(Il retire sa main, qui était posée sur l'épaule de Muguette, et reprend sa place sur la table. Les projecteurs l'éclairent pleins feux pendant ce monologue, qui est son credo, tandis que Muguette n'est plus qu'une ombre falote.)

MUGUETTE

Tu veux savoir si je crois en Dieu ?

POULET

Voilà.

MUGUETTE

Oh, tu sais, je ne pratique pas souvent, parce que je suis tellement fatiguée, le dimanche matin, tu comprends, mais dès que j'ai un problème ou un ennui, je fais toujours confiance au Seigneur, et il ne m'a jamais laissée tomber, je touche du bois.

(A partir de maintenant, les projecteurs sont braqués sur Poulet.)

POULET

Hum... Ouais, ouais. Je parie que tu aurais jamais deviné, à me voir maintenant, que j'ai été sauvé, comme ils disent, par un pasteur qui est venu prêcher dans le coin, au printemps dernier. Ça n'a pas duré beaucoup plus longtemps qu'un rhume de cerveau, mais c'était bien ça tout de même, bon Dieu de bois. Ouais. Puisqu'on parle de ça, je crois qu'il y a pas mal de vrai dans ce qu'on raconte, là, quand on dit qu'on est sauvé ou pas, qu'on a la foi ou pas, et qu'on n'y peut rien. Le mieux, c'est de pas essayer de changer. Parce que pour les êtres humains, moi j'en suis un et toi aussi, ce qui compte le plus... *(Elle vient se jucher sur la table près de lui et s'appuie à son épaule.)* Pour les êtres humains, en tout cas ceux que j'ai connus, dans ma vie, ce qui compte le plus c'est d'être heureux, et Dieu sait qu'on ne peut pas y arriver en se refusant tout ce qui vous fait le plus envie. Si on n'est pas taillé pour ça, c'est pas la peine de faire des sacrifices et tout pour l'avoir, ce qu'ils appellent la grâce. Ce pasteur-là, qui voulait nous sauver, il disait qu'il fallait absolument se battre contre la chair. J'ai essayé, un moment. Tu sais, ces types-là, ils croient toujours qu'on ne pense qu'à ça, et là, je me demande s'ils n'ont pas raison, hein ?

Oh si. Ils ont raison. Ils ne se trompent pas.

Ils croient aussi qu'on a des « volets intérieurs » et qu'on peut les fermer pour se défendre contre le péché. Ça veut dire qu'il y a deux forces, et il y en a une qui doit céder à l'autre, puisqu'elles sont dans le même corps. Il y en a une qui gagne et l'autre qui perd. Alors moi, j'ai un peu essayé de les fermer, mes « volets intérieurs », mais j'avais l'impression de devenir quelqu'un d'autre, qui n'était plus moi. On ne peut pas fermer ses volets si on n'en a pas, et je crois bien que moi c'est mon cas. Je suis né comme ça, sans volets. On est sauvé ou on ne l'est pas, on l'est tout de suite ou on ne le sera jamais, et je crois qu'on est un foutu nombre qui feraient mieux de laisser tomber plutôt que de se casser la tête et les pieds pour rien. Tôt ou tard, on finit par lâcher, on n'y peut rien. Qu'est-ce que t'en penses, toi ?

Tu sais, moi, ça ne m'est jamais arrivé, une affaire pareille, même pour peu de temps, mais ça ne m'empêche pas de prier le bon Dieu tout de même.

Tu pries pour quoi ?

MUGUETTE

Pour qu'il me protège, et tu vois, maintenant, j'ai l'impression que je n'ai pas prié pour rien. Continue de parler ; tu as une belle voix, profonde. Ce n'est pas seulement que je t'écoute, mais ça me... ça me... ça me donne une espèce de frisson qui me descend dans tout le corps, ça vibre en moi. Je n'entends même plus le bruit du fleuve, quand tu parles !

POULET, *avec un rien d'indulgence un peu méprisante.*

Ouais, ouais, ouais. Tout ce que tu racontes, tu le dis pour me faire plaisir. Tu as trop peur que je te laisse en bas quand on sera inondés.

MUGUETTE, *avec une vive anxiété.*

Mais non, tout ça... tout ça c'est réglé.

POULET

On croit que tout est réglé, et puis ça ne l'est pas forcément.

MUGUETTE

Tu ne reviendrais pas là-dessus après m'avoir donné ta parole. Tu ne pourrais pas, tu es trop honnête. Dis, Poulet ?

POULET

Cette maison n'est pas en pierre, ni en brique... ni en ciment. C'est une vieille baraque en bois. Oh, je te ferai grimper sur le toit quand la digue va céder. Mais je ne peux pas t'assurer qu'une crue pareille, ça ne va pas emporter la maison comme une botte de foin et la démantibuler jusqu'à ce qu'il ne reste plus une planche debout.

MUGUETTE

Ne me... ne me fais pas des peurs comme ça !

301

Je vais te dire comment je vois la vie, moi, la mienne aussi bien que celle des autres. Il n'y a rien sur la terre, pas une joie de ce monde qui vaille une chose, une seule, et cette chose-là, c'est ce qui peut se passer entre un homme et une femme. Il n'y a que ça, et rien d'autre, qui est parfait. Le reste, c'est des conneries, presque tout le reste. C'est ça le paradis sur terre, et si tu n'as jamais rien eu d'autre que ça, dans la vie, ni argent, ni succès, ni rien, mais si tu as tout de même connu ça, eh bien tu peux dire que tu n'as pas entièrement perdu ta vie, crois-moi. Même si tu rentres chez toi dans un gourbi, même s'il y fait une chaleur d'enfer et que t'as pas une goutte d'eau à boire, même si t'as faim et que t'as pas une miette de pain à te mettre sous la dent ! Mais s'il y a une femme qui t'attend sur le lit, même si elle n'est pas très jeune ni très jolie, et si elle te dit en te voyant : « Papa, j'en ai envie », eh bien tu peux dire que tu as eu la bonne part dans la vie, et s'il y en a qui disent le contraire, c'est qu'ils n'ont pas trouvé la femme qu'il leur fallait. Voilà comment je comprends les choses, moi, voilà comment je la vois, la vie, maintenant. C'est ça, le paradis sur terre.

> *(L'escalier sort de l'ombre. Lot apparaît, tel un spectre, sous une lumière froide. Il porte la robe en mousseline blanche de sa mère. Toujours immobile sur les marches, il se coiffe d'une capeline transparente, ornée de fleurs aux couleurs passées. Cette apparition est à la fois insolite et superbe. Un thème de blues l'accompagne en fond sonore, quelque chose comme un solo de trompette bouchée. Puis il commence à descendre l'escalier. A chaque marche, il est obligé de s'arrêter pour reprendre son souffle, de plus en plus péniblement. Mais son agonie est comme sublimée par la passion asexuée du travesti. Il arbore*

un sourire figé, presque extatique. Poulet
saute au bas de la table et se place là où se
trouvait la porte de la cuisine aux scènes pré-
cédentes. Il a l'air impressionné, mais non
surpris. Muguette est terrorisée.)

MUGUETTE

Poulet ! Mon Dieu, arrête-le !

POULET

Pour quoi faire ?

MUGUETTE

Fais-le remonter.

POULET

Non, non, laisse-le aller dans le salon de Miss Lottie.

(Au pied de l'escalier, Lot se dirige côté cour.
Son souffle précipité tourne au râle. Même au
seuil de la mort, il est dans l'extase du tra-
vesti. Il entre en titubant dans le petit salon,
tandis que l'écran qui le cachait se lève, et
que la pièce apparaît baignée d'une lumière
rose. Il vacille un moment, puis se laisse tom-
ber sur une des petites chaises dorées, face au
public. Muguette est affolée, mais Poulet
garde son calme. Il entre au salon. Lot con-
serve son visage extatique ; il regarde sans
voir. Peut-être même sourit-il machinale-
ment, comme on le fait dans une soirée. Il
retient sa capeline d'une main, en la posant
sur les fleurs qui la couronnent, comme si le
vent allait l'emporter. Il vacille sur sa chaise.
Poulet reste impassible.)

Tu as mis ta robe d'été ?

> (*Lot n'est plus en état de comprendre ce qu'on lui dit. Il se lève en titubant, esquisse une espèce de révérence, comme une artiste qui salue le public, puis s'effondre sur le sol. Muguette, choquée mentalement par cette scène, est retournée dans la cuisine. Elle a ouvert la glacière, comme si elle allait y trouver refuge.*)

MUGUETTE

Des œufs. Du bacon. Enfin un petit morceau. Des pommes de terre nouvelles. (*Elle sort ces rassurantes nourritures de la glacière. Un œuf ou deux s'écrasent par terre. Elle fait quelques tours sur elle-même, complètement égarée.*) Une poêle ?... Une poêle !... Un couteau ?... Un couteau ! (*Elle va vers le mur où ces ustensiles sont accrochés, mais, s'apercevant qu'elle a toujours les bras chargés, elle revient déposer tout cela sur la table et laisse encore tomber un œuf ou deux sans même s'en apercevoir. Puis elle retourne chercher rapidement le couteau et la poêle dont elle a besoin.*) Je ne suis pas tout à fait en état... mais... il faut le faire ! (*Elle se parle toute seule à haute voix comme une débutante à l'école ménagère.*) Couper le bacon en tranches avec un couteau... Le feu ?... Il marche !

> (*Ses paroles sont entrecoupées de brefs sanglots étouffés. Poulet, lui, contemple sans réaction apparente la silhouette vaporeuse de son frère, affalée sur le sol. Puis il éteint le lustre et sort avec un sombre contentement. Il regarde autour de lui d'un air de propriétaire. On sent un homme qui a férocement désiré ce qui lui revient enfin. Muguette lui tourne le dos quand il entre dans la cuisine. Quand il se met à parler, elle a un bref haut-le-corps.*)

POULET

Tu fais le dîner ?

MUGUETTE

Ce que je fais ?... Je ne sais pas ce que je fais, je...

POULET

Tu fais quelque chose que tu as raison de faire, parce qu'on ne pourra peut-être plus rien manger de chaud pendant quelques jours.

MUGUETTE, *se retournant*.

Poulet, on est des chrétiens...

POULET

Qu'est-ce que ça peut faire, qu'on soit des chrétiens ?

MUGUETTE

Il faut appeler le docteur.

POULET

Même s'il restait encore un toubib qui ne se soit pas levé le cul, dans tout le pays du coton, il n'aurait plus rien d'autre à faire ici qu'à éponger tes omelettes.

MUGUETTE

... Lot est... ?

POULET

Le fils de Miss Lottie, il ne fait plus partie des vivants.

MUGUETTE

... Que Dieu ait pitié de mon...

POULET

Quoi ?

MUGUETTE

Je vais faire des frites maison.

POULET

Oui. Dans ma maison à moi. Tu aurais tout de même pu les peler !

MUGUETTE

Je me suis coupé le doigt !

POULET

Les nerveuses, c'est comme ça. C'est fragile. (*Il l'observe pensivement un moment, tandis qu'elle suce son doigt.*) Je me demande bien... Et puis non, tu ne dois pas pouvoir.

MUGUETTE

Je ne dois pas pouvoir quoi ?

POULET

Me faire un fils. Me faire un enfant, tu peux ? J'ai toujours voulu un enfant d'une blanche pur sang.

MUGUETTE

... Je veux être tout à fait franche avec toi, là-dessus.

POULET

Si tu mentais je le saurais, d'ailleurs. Je le sais toujours.

> (*Il dirige la lampe vers elle. Son visage encore marqué par la panique est en pleine lumière.*)

MUGUETTE

J'ai eu cinq enfants adoptés.

POULET

Tu as adopté cinq enfants ?

MUGUETTE

Mais non, Poulet, je veux dire que j'ai eu cinq enfants, et il a fallu que je les abandonne parce que je n'avais pas les moyens de les élever comme il faut... Les bébés, il faut que ça soit bien soigné, alors, je les ai fait adopter, rien que par des gens qui ont au moins deux mille dollars par an. Oh, ça m'a brisé le cœur cinq fois de suite ! Ils étaient roux tous les cinq, comme leur mère. Ils étaient mignons, ces petits morpions !

POULET

Je ne veux pas qu'il ressemble à un morpion, mon gosse !

MUGUETTE

Oh, mais voyons... c'est une façon de parler. (*Il repose la lampe sur la table.*) Non, ça, je peux te l'assurer. De nature, je suis vraiment... Tu ne trouves pas que ça fait plus de bruit ? Ou est-ce que je me fais des idées, tellement j'ai peur ?

POULET

Ça ne va plus tarder maintenant.

(*Il se dirige vers la porte.*)

MUGUETTE, *affolée.*

Ne me laisse pas toute seule !

Je sors une seconde. Assieds-toi. Pèle tes patates maison, en attendant. Je vais jeter un coup d'œil sur mes terres. (*Il sort, côté jardin, le visage resplendissant de joie.*) Allez-y, chantez, les grenouilles ! C'est moi le roi maintenant ! (*Muguette l'a suivi sur le pas de la porte. On entend une violente explosion.*) Sur le toit ! Vite !

RIDEAU

TABLE

Si vous désirez être régulièrement tenu au courant de nos publications, merci de bien vouloir remplir ce questionnaire et nous le retourner :

Éditions 10/18
c/o 10 Mailing
35, rue du Sergent Bauchat
75012 Paris

NOM : _____

PRENOM : _____

ADRESSE : _____

_____

CODE POSTAL : _____

VILLE : _____

PAYS : _____

AGE : _____

PROFESSION : _____

TITRE de l'ouvrage dans lequel est insérée cette page :

La ménagerie de verre, n° 2688
_____

Cet ouvrage a été réalisé par la
SOCIÉTÉ NOUVELLE FIRMIN-DIDOT
Mesnil-sur-l'Estrée
pour le compte des Éditions 10/18
en juillet 2000

Imprimé en France
Dépôt légal : décembre 1995
N° d'édition : 2592 – N° d'impression : 51842
Nouveau tirage : juillet 2000